중학생이 되기 전, "국어 어휘" 어휘 동영상과 함께 나 혼자 공부한다!

무료 동영상 강의와 함께 어려운 어휘를 쉽고, 빠르게!

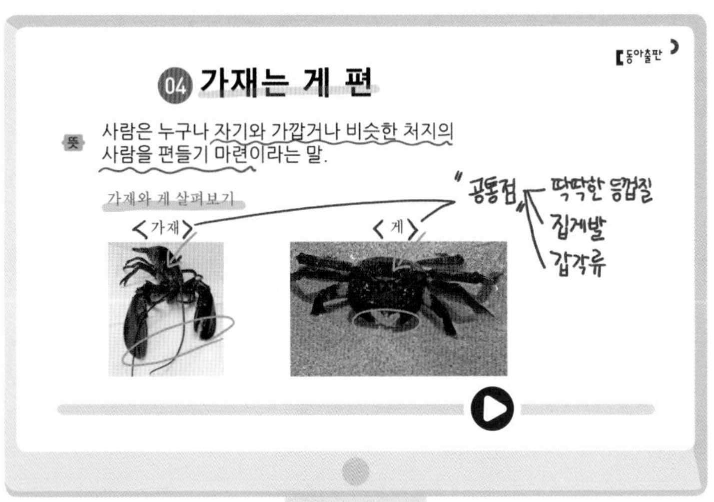

고학년이 될수록 많이 나오는 관용 표현과 한자어가 너무 어려워요.

초고필 국어 어휘 동영상 강의만 있으면 어려운 관용 표현과 한자어도 쉽게 이해할 수 있단다.

혼자서도 공부할 수 있을까요?

무료 스마트러닝에 접속하면 쉽게 뜻을 설명해 주는 강의가 있으니 혼자서도 공부할 수 있단다.

무료 스마트러닝 접속 방법

방법 1

동아출판 홈페이지 www.bookdonga.com에 접속하면 초고필 국어 어휘 무료 스마트러닝을 이용할 수 있습니다.

방법 2

핸드폰이나 태블릿으로 **교재 표지에 있는 QR코드**를 찍으면 스마트러닝에서 초고필 국어 어휘 동영상 강의를 무료로 이용할 수 있습니다.

지금
국어 어휘
를 해야 할 때

왜 지금 국어 어휘를 해야 할까요?

어휘력은 무엇인가요?

어휘력에 대해 이해하려면 먼저 '어휘'에 대해 알아야 합니다. 어휘는 한 언어 안에서 사용되는 낱말의 전체를 뜻합니다. 따라서 어휘는 각각의 낱말뿐만 아니라 낱말과 낱말 사이의 관계까지 포함하는 폭 넓은 개념인 것이지요. 어휘력은 이러한 어휘를 마음대로 사용할 수 있는 능력을 말합니다.

왜 어휘력이 중요할까요?

어휘력은 언어 이해, 독해, 언어 표현력을 결정하는 기초 학습 능력입니다. 그래서 어휘력이 뛰어나면 말과 글을 빠르고 정확하게 이해할 수 있으며 자신의 생각을 명확하고 다채롭게 표현할 수 있습니다. 또한 풍부한 어휘를 바탕으로 의사소통 능력이 한층 높아집니다. 뿐만 아니라 어휘는 모든 학습의 기초가 됩니다. 수학, 영어, 사회, 과학 등 여러 교과들을 공부하며 습득한 개념을 이해하는 데에도 어휘력이 기본 바탕이 되기 때문입니다. 그러므로 책을 읽고 내용을 잘 이해하기 위해, 공부 효과를 최대화하기 위해 어휘력을 키우는 것은 중요합니다.

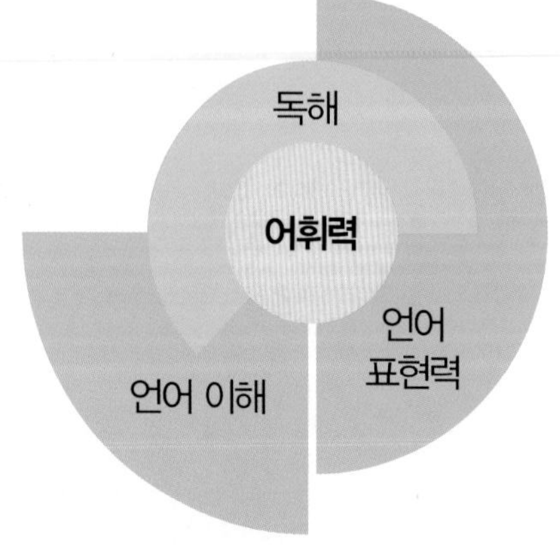

어휘력 향상을 위한 공부가 따로 필요할까요?

초등학교에서 중학교로 올라가면 어휘의 난이도가 크게 높아집니다. 특히 사전적 의미만으로는 그 뜻을 이해하기 어려운 속담이나 관용어, 그리고 평소 접해 보지 못한 한자어나 한자성어의 사용이 많아져 학습에 더욱 어려움을 느끼게 됩니다. 이렇게 낯선 어휘를 접했을 때 문맥으로 그 뜻을 어림짐작하거나 혹은 아예 모른 채로 넘겨 버린다면 교과 학습에 오히려 혼란을 주게 됩니다. 따라서 어려워지는 중학교 어휘에 대비하기 위해서 초등 고학년부터 어휘력 강화를 위한 학습을 해야 합니다.

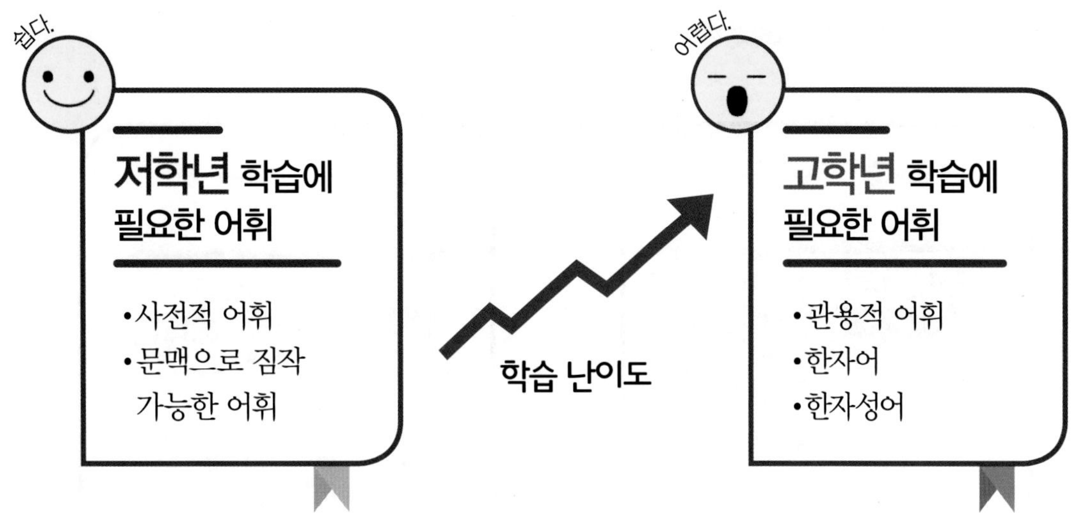

그래서 "초고필 지금 국어 어휘를 해야 할 때"가 만들어졌습니다!

"초고필 지금 국어 어휘를 해야 할 때"는 초등학교 5, 6학년과 중학교 1, 2학년 국어 교과서에서 자주 사용되는 속담과 관용어, 한자어와 한자성어 400개를 엄선했습니다. 그리고 어휘 분야별로 그 특성에 근거해 세부 구성을 다르게 함으로써 효율적인 학습이 되도록 하였습니다. "초고필 지금 국어 어휘를 해야 할 때"로 어휘 공부가 낯선 학습자도 각 어휘가 실생활에서 사용되는 예를 만화로 접하고, 정확한 뜻을 바로바로 확인함으로써 쉽고 재미있게 학습에 임할 수 있습니다. 또한 배운 내용을 문제로 반복 학습하면서 어휘를 확실하게 기억할 수 있도록 구성했습니다.

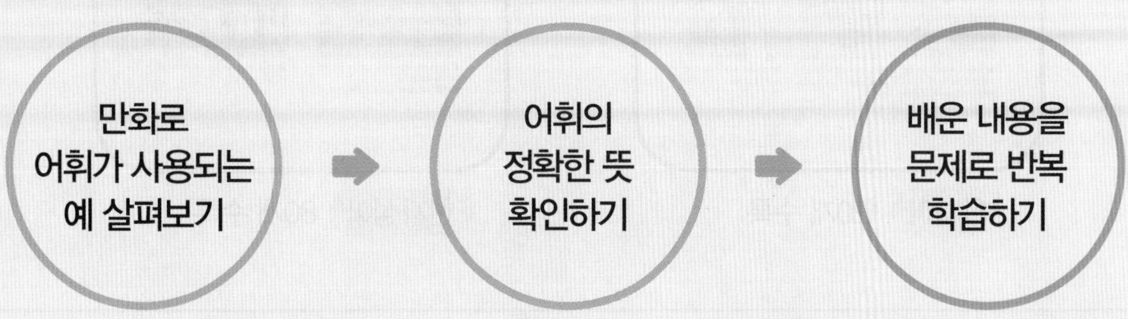

구성과 특징

1 어휘 익히기

재미있는 만화를 보며 속담/관용어/한자어/한자성어를 한눈에 쏙쏙!

만화로 속담, 관용어, 한자어, 한자성어의 쓰임을 쉽고 재미있게 확인할 수 있습니다.

또 어휘의 정확한 뜻과 **비슷한 말**, **반대말** 까지 익힐 수 있습니다.

속담 01 가는 날이 장날 ~ 고래 싸움에 새우 등 터진다

01 가는 날이 장날

02 가는 말이 고와야 오는 말이 곱다

03 가랑비에 옷 젖는 줄 모른다

04 가재는 게 편

10 · 초등 국어 어휘

속담 80개 수록

관용어 01 가슴에 멍이 들다 ~ 간이 콩알만 해지다

가슴

001 가슴에 멍이 들다

002 가슴에 새기다

003 가슴에 손을 얹다

004 가슴을 열다

005 가슴(을) 태우다

006 가슴이 넓다

56 · 초등 국어 어휘

관용어 120개 수록

한자어 01 가감(加減) ~ 간주(看做)

加 더할 가

001 가감

002 가공

003 가열

可 옳을 가

004 가결

005 가능

006 가부

102 · 초등 국어 어휘

한자어 120개 수록

한자성어 01 감언이설(甘言利說) ~ 구사일생(九死一生)

01 감언이설

02 개과천선

03 격세지감

04 견물생심

148 · 초등 국어 어휘

한자성어 80개 수록

2 확인 문제

배운 어휘를 문제로 확인하며 어휘력 쑥쑥!

확인 문제를 풀어 보며 배운 내용을 점검할 수 있습니다. 다양한 유형의 문제를 통해 앞에서 배운 어휘를 반복 학습하면서 어휘력을 기를 수 있습니다.

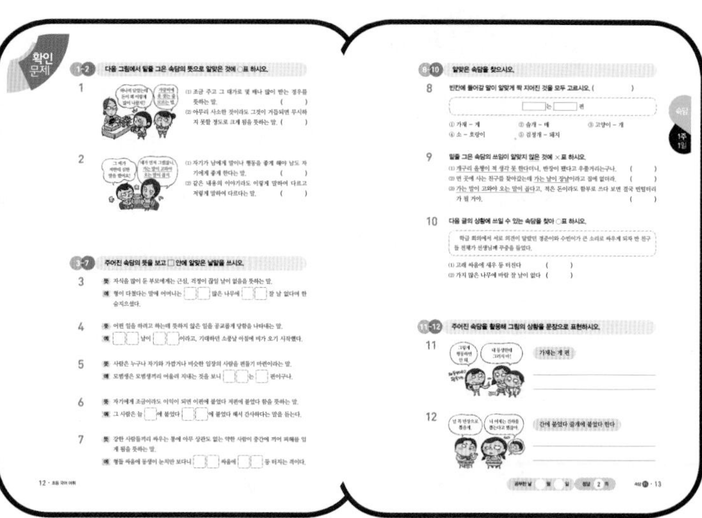

3 마무리 학습

만화를 보고 다시 한 번 머릿속에 쏙쏙!

만화를 다시 보며 배운 내용을 복습할 수 있습니다. 만화의 상황에 어울리는 어휘를 머릿속에 떠올려 보면서 한 주 동안의 학습을 마무리합니다.

4 정답 및 풀이

알찬 풀이를 통해 어휘력 점검도 탄탄!

친절한 풀이를 보며 어휘를 완벽하게 이해할 수 있습니다. 또, 오답 피하기 로 스스로 틀린 문제를 점검하고, 어휘력 더하기 로 어휘 지식을 넓힐 수 있습니다.

차례

1. 속담

2. 관용어

3. 한자어

차례

4. 한자성어

1 속담

속담 총 80개 수록

속담은 옛날부터 전해지는 교훈이 담긴 짧은 말로, 우리 조상들의 지혜가 들어 있는 표현이에요. 주로 일상생활에서 다양한 상황을 빗대어 속담을 쓸 수 있어요. 우리는 속담 안에 담긴 교훈, 사회 비판과 풍자 등을 함께 익히면서 조상의 슬기를 배울 수 있어요.

01 가는 날이 *장날

뜻 어떤 일을 하려고 하는데 뜻하지 않은 일을 *공교롭게 당함을 나타내는 말.

비슷한 말 가는 날이 생일, 오는 날이 장날

* **장날**: 장이 서는 날.
* **공교롭게**: (뜻밖의 우연한 일이어서) 이상하고 놀랍게.

02 가는 말이 고와야 오는 말이 곱다

뜻 자기가 남에게 말이나 행동을 좋게 해야 남도 자기에게 좋게 한다는 말.

비슷한 말 가는 떡이 커야 오는 떡이 크다, 가는 정이 있어야 오는 정이 있다, 엑 하면 떽 한다

03 가랑비에 옷 젖는 줄 모른다

뜻 아무리 사소한 것이라도 그것이 거듭되면 무시하지 못할 정도로 크게 됨을 뜻하는 말.

04 가재는 게 편

뜻 사람은 누구나 자기와 가깝거나 비슷한 입장의 사람을 편들기 마련이라는 말.

비슷한 말 가재는 게 편이요 초록은 한 빛이라, 검정개는 돼지 편, 솔개는 매 편

05 가지 많은 나무에 바람 잘 날이 없다

뜻 자식을 많이 둔 부모에게는 근심, 걱정이 끊일 날이 없음을 뜻하는 말.

비슷한 말 가지 많은 나무가 잠잠할 적 없다

06 간에 붙었다 쓸개에 붙었다 한다

뜻 자기에게 조금이라도 이익이 되면 이편에 붙었다 저편에 붙었다 함을 뜻하는 말.

비슷한 말 간에 가 붙고 쓸개에 가 붙는다

07 개구리 올챙이 적 생각 못 한다

뜻 형편이나 사정이 전에 비하여 나아진 사람이 지난날 어렵던 때의 일을 생각하지 않고 처음부터 잘난 듯이 뽐내는 것을 뜻하는 말.

비슷한 말 올챙이 적 생각은 못 하고 개구리 된 생각만 한다

08 고래 싸움에 새우 등 터진다

뜻 강한 사람들끼리 싸우는 통에 아무 상관도 없는 약한 사람이 중간에 끼어 피해를 입게 됨을 뜻하는 말.

확인 문제

1~2 다음 그림에서 밑줄 그은 속담의 뜻으로 알맞은 것에 ○표 하시오.

1

(1) 조금 주고 그 대가로 몇 배나 많이 받는 경우를 뜻하는 말. (　　)

(2) 아무리 사소한 것이라도 그것이 거듭되면 무시하지 못할 정도로 크게 됨을 뜻하는 말. (　　)

2

(1) 자기가 남에게 말이나 행동을 좋게 해야 남도 자기에게 좋게 한다는 말. (　　)

(2) 같은 내용의 이야기라도 이렇게 말하여 다르고 저렇게 말하여 다르다는 말. (　　)

3~7 주어진 속담의 뜻을 보고 □ 안에 알맞은 낱말을 쓰시오.

3

뜻 자식을 많이 둔 부모에게는 근심, 걱정이 끊일 날이 없음을 뜻하는 말.

예 형이 다쳤다는 말에 어머니는 □□ 많은 나무에 □□ 잘 날 없다며 한숨지으셨다.

4

뜻 어떤 일을 하려고 하는데 뜻하지 않은 일을 공교롭게 당함을 나타내는 말.

예 □□ 날이 □□이라고, 기대하던 체험 학습 날 아침 비가 오기 시작했다.

5

뜻 사람은 누구나 자기와 가깝거나 비슷한 입장의 사람을 편들기 마련이라는 말.

예 모범생은 모범생끼리 어울려 지내는 것을 보니 □□는 □ 편이구나.

6

뜻 자기에게 조금이라도 이익이 되면 이편에 붙었다 저편에 붙었다 함을 뜻하는 말.

예 그 사람은 늘 □에 붙었다 □□에 붙었다 해서 간사하다는 말을 듣는다.

7

뜻 강한 사람들끼리 싸우는 통에 아무 상관도 없는 약한 사람이 중간에 끼어 피해를 입게 됨을 뜻하는 말.

예 형들 싸움에 동생이 눈치만 보다니 □□ 싸움에 □□ 등 터지는 격이다.

8~10 알맞은 속담을 찾으시오.

8 빈칸에 들어갈 말이 알맞게 짝 지어진 것을 모두 고르시오. (　　　　　　)

[　　　]는 [　　　] 편

① 가재 – 게　　② 솔개 – 매　　③ 고양이 – 개
④ 소 – 호랑이　　⑤ 검정개 – 돼지

9 밑줄 그은 속담의 쓰임이 알맞지 않은 것에 ×표 하시오.

(1) 개구리 올챙이 적 생각 못 한다더니, 반장이 됐다고 우쭐거리는구나. (　　　)
(2) 먼 곳에 사는 친구를 찾아갔는데 가는 날이 장날이라고 집에 없더라. (　　　)
(3) 가는 말이 고와야 오는 말이 곱다고, 적은 돈이라도 함부로 쓰다 보면 결국 빈털터리가 될 거야. (　　　)

10 다음 글의 상황에 쓰일 수 있는 속담을 찾아 ○표 하시오.

학급 회의에서 서로 의견이 달랐던 경준이와 수빈이가 큰 소리로 싸우게 되자 반 친구들 전체가 선생님께 꾸중을 들었다.

(1) 고래 싸움에 새우 등 터진다 (　　　)
(2) 가지 많은 나무에 바람 잘 날이 없다 (　　　)

11~12 주어진 속담을 활용해 그림의 상황을 문장으로 표현하시오.

11

가재는 게 편

____

____

12

간에 붙었다 쓸개에 붙었다 한다

____

____

공부한 날 　월 　일　정답 2 쪽

09 고생 끝에 *낙이 온다

뜻 어려운 일이나 힘든 일을 겪은 뒤에는 반드시 즐겁고 좋은 일이 생긴다는 말.

비슷한 말 태산을 넘으면 평지를 본다, 고진감래(苦 쓸 고, 盡 다할 진, 甘 달 감, 來 올 래)

* **낙**: 즐거움. 재미.

10 *공든 탑이 무너지랴

뜻 힘을 다하고 정성을 다하여 한 일은 그 결과가 반드시 헛되지 않음을 뜻하는 말.

* **공든**: 정성과 노력과 힘을 많이 쓴.

11 구르는 돌은 이끼가 안 낀다

뜻 부지런하고 꾸준히 노력하는 사람은 제자리에 머무르지 않고 계속 발전한다는 말.

12 구슬이 서 *말이라도 꿰어야 보배

뜻 아무리 훌륭하고 좋은 것이라도 다듬고 정리하여 쓸모 있게 만들어 놓아야 값어치가 있음을 뜻하는 말.

* **말**: 곡식, 액체, 가루 등의 부피를 잴 때 쓰는 단위. 한 말은 한 되의 열 배로 약 18리터에 해당함.

13 금강산도 식후경

뜻 아무리 재미있는 일이라도 배가 불러야 흥이 나지 배가 고파서는 아무 일도 할 수 없음을 뜻하는 말.

비슷한 말 금강산 구경도 먹은 후에야 한다, 꽃구경도 식후사

14 급하면 바늘허리에 실 매어 쓸까

뜻 일에는 일정한 순서가 있고 때가 있는 것이므로, 아무리 급해도 순서대로 일해야 함을 뜻하는 말.

비슷한 말 급하면 콩마당에서*간수 치랴

* **간수**: (두부를 만드는 데에 쓰이는) 소금에서 저절로 녹아 나오는 짜고 쓴 물.

15 까마귀 고기를 먹었나

뜻 잊어버리기를 잘하는 사람을 놀리거나 나무라는 말.

16 까마귀 날자 배 떨어진다

뜻 아무 관계 없이 한 일이 공교롭게도 때가 같아 어떤 관계가 있는 것처럼 의심을 받게 됨을 뜻하는 말.

비슷한 말 오비이락(烏 까마귀 오, 飛 날 비, 梨 배나무 이, 落 떨어질 락)

확인 문제

1~3 다음 뜻에 알맞은 속담을 서로 연결하시오.

1 잊어버리기를 잘하는 사람을 놀리거나 나무라는 말. • • ㉮ 고생 끝에 낙이 온다

2 어려운 일이나 힘든 일을 겪은 뒤에는 반드시 즐겁고 좋은 일이 생긴다는 말. • • ㉯ 까마귀 고기를 먹었나

3 부지런하고 꾸준히 노력하는 사람은 제자리에 머무르지 않고 계속 발전한다는 말. • • ㉰ 구르는 돌은 이끼가 안 낀다

4~8 빈칸에 들어갈 알맞은 속담을 보기에서 찾아 쓰시오.

보기

- 금강산도 식후경
- 공든 탑이 무너지랴
- 까마귀 날자 배 떨어진다
- 급하면 바늘허리에 실 매어 쓸까
- 구슬이 서 말이라도 꿰어야 보배

4 (　　　　　　　　　　)라는 말을 생각하며 최선을 다해 공부하자.

5 (　　　　　　　　　　)이라고 했으니, 아침을 먼저 먹고 등산을 가는 것이 좋겠다.

6 (　　　　　　　　　　)고 하더니, 멀쩡하던 볼펜이 하필 내가 만졌을 때 망가질 게 뭐람.

7 (　　　　　　　　　　)라는데, 운동복만 그리 갖춰 입고 운동을 안 하면 무슨 소용이 있어?

8 (　　　　　　　　　　), 아무리 배가 고파도 밥이 되려면 멀었는데 밥을 달라고 떼를 쓰는구나.

9~11 알맞은 속담을 찾으시오.

9 다음 빈칸에 공통으로 들어갈 낱말로 알맞은 것은 무엇입니까? (   )

- [   ] 날자 배 떨어진다더니, 나는 그 일과 아무 상관없어.
- 그렇게 자꾸 깜박깜박 잊어버리는 걸 보니 [   ] 고기를 먹었나 보다.

① 닭 ② 꿩 ③ 오리
④ 까마귀 ⑤ 독수리

10 다음 중 밑줄 그은 속담의 쓰임이 알맞지 않은 것은 무엇입니까? (   )

① 금강산도 식후경이니 밥 먹기 전에 일을 마쳐 놓읍시다.
② 지금은 힘들지만 고생 끝에 낙이 온다고 했으니 조금만 더 노력하자.
③ 구르는 돌은 이끼가 안 낀다더니, 날마다 연습해서 실력이 눈에 띄게 좋아졌구나.
④ 하나씩 순서대로 할 일을 그리 마구잡이로 하다니 급하면 바늘허리에 실 매어 쓸까?
⑤ 구슬이 서 말이라도 꿰어야 보배라고, 아무리 좋은 옷감도 옷을 만들어야 쓸모 있지.

11 다음 대화에서 밑줄 그은 부분과 뜻이 통하는 속담에 ○표 하시오.

선미: 힘들게 발표 준비를 했는데, 너무 떨려서 발표를 망칠까 봐 고민이야.
승아: 너무 걱정하지 마. 열심히 한 일에는 반드시 좋은 결과가 있기 마련이야.

(1) 공든 탑이 무너지랴 (   )
(2) 급하면 바늘허리에 실 매어 쓸까 (   )

12 주어진 속담을 활용해 그림의 상황을 문장으로 표현하시오.

12

까마귀 고기를 먹었나

____

____

17 낫 놓고 기역 자도 모른다

뜻 기역 자 모양으로 생긴 낫을 보면서도 기역 자를 모른다는 뜻으로, 아주*무식함을 나타내는 말.

* **무식함**: 배우지 않은 데다 보고 듣지 못하여 아는 것이 없음.

18 낮말은 새가 듣고 밤말은 쥐가 듣는다

뜻 1. 아무도 안 듣는 데서라도 말조심해야 한다는 말. 2. 아무리 비밀스럽게 한 말이라도 반드시 남의 귀에 들어가게 된다는 말.

19 내 코가 석*자

뜻 내 사정이 급하고 어려워서 남을 돌볼 여유가 없음을 뜻하는 말.

비슷한 말 제 코가 석 자

* **자**: 길이의 단위. 한 자는 한 치의 열 배로 약 30.3cm에 해당함.

20 누워서 침 뱉기

뜻 1. 남을 해치려고 하다가 도리어 자기가 해를 입게 된다는 것을 뜻하는 말. 2. 자기에게 해가 돌아올 짓을 함을 뜻하는 말.

비슷한 말 내 얼굴에 침 뱉기, 자기 얼굴에 침 뱉기, 하늘 보고 침 뱉기

속담
1주 3일

21 다 된 죽에 코 빠졌다

뜻 거의 다 된 일을 망쳐버리는 행동을 뜻하는 말.

비슷한 말 다 된 죽에 코 풀기

22 달면 삼키고 쓰면 뱉는다

뜻 옳고 그름이나 의리를 생각하지 않고 자기의 이익만 얻으려 함을 뜻하는 말.

비슷한 말 맛이 좋으면 넘기고 쓰면 뱉는다, 추우면 다가들고 더우면 물러선다

23 닭 잡아먹고 오리 발 내놓기

뜻 옳지 못한 일을 저질러 놓고 엉뚱한 말과 행동으로 속여 넘기려 하는 일을 뜻하는 말.

24 닭 쫓던 개 지붕 쳐다보듯

뜻 애써 하던 일이 실패로 돌아가거나 남보다 뒤떨어져 어찌할 방법이 없음을 뜻하는 말.

비슷한 말 닭 쫓던 개 울타리 넘겨다보듯, 닭 쫓던 개의 상

확인 문제

1~3 다음 뜻에 해당하는 속담을 보기에서 찾아 기호를 쓰시오.

보기
㉮ 내 코가 석 자
㉯ 달면 삼키고 쓰면 뱉는다
㉰ 닭 쫓던 개 지붕 쳐다보듯

1 내 사정이 급하고 어려워서 남을 돌볼 여유가 없음을 뜻하는 말.
→ (   )

2 옳고 그름이나 의리를 생각하지 않고 자기의 이익만 얻으려 함을 뜻하는 말.
→ (   )

3 애써 하던 일이 실패로 돌아가거나 남보다 뒤떨어져 어찌할 방법이 없음을 뜻하는 말.
→ (   )

4~8 주어진 속담의 뜻을 보고 (   ) 안의 알맞은 말에 ○표 하시오.

4 뜻 아주 무식함을 나타내는 말.
예 이렇게 쉬운 것도 틀리는 걸 보니 낫 놓고 (기역, 디귿) 자도 모르는 꼴이군.

5 뜻 자기에게 해가 돌아올 짓을 함을 뜻하는 말.
예 먼저 잘못을 한 네가 친구들을 나무라는 것은 누워서 (침 뱉기, 떡 먹기)나 마찬가지야.

6 뜻 거의 다 된 일을 망쳐버리는 행동을 뜻하는 말.
예 완성되기 직전인 그림에 물을 쏟아서 망치다니, 다 된 죽에 (귀, 코) 빠졌구나.

7 뜻 아무도 안 듣는 데서라도 말조심해야 한다는 말.
예 낮말은 새가 듣고 밤말은 (쥐, 고양이)가 듣는 법인데 그렇게 함부로 말하면 못 써.

8 뜻 옳지 못한 일을 저질러 놓고 엉뚱한 말과 행동으로 속여 넘기려 하는 일을 뜻하는 말.
예 닭 잡아먹고 오리 (털 뽑기, 발 내놓기)라더니, 잘못은 네가 하고 동생 핑계만 대는구나.

9~11 알맞은 속담을 찾으시오.

9 다음 두 가지 상황에 모두 쓸 수 있는 속담은 무엇입니까? (　　　　)

• 친구를 골탕 먹이려던 장난에 오히려 자신이 당했을 때
• 누군가의 단점을 지적했는데, 똑같은 단점이 자신에게도 있을 때

① 내 코가 석 자
② 누워서 침 뱉기
③ 다 된 죽에 코 빠졌다
④ 닭 쫓던 개 지붕 쳐다보듯
⑤ 닭 잡아먹고 오리 발 내놓기

10 밑줄 그은 속담의 쓰임이 알맞은 것에 ○표 하시오.

(1) 평소에는 모른 척하다가 필요할 때에만 다가오다니, 달면 삼키고 쓰면 뱉는군. (　　　　)

(2) 닭 쫓던 개 지붕 쳐다보듯 한다는데, 아무도 안 듣는 데서도 함부로 말하면 안 되지. (　　　　)

(3) 낫 놓고 기역 자도 모른다더니, 옳지 못한 일을 저질러 놓고 남을 속이려고 하는구나. (　　　　)

11 다음 빈칸에 들어갈 알맞은 말에 ○표 하시오.

태현: 정우야, 잘 달렸어. 이어달리기에서 졌어도 너무 속상해하지 마.
정우: 우리 편이 한참이나 앞서고 있었는데 마지막에 내가 넘어지는 바람에 지게 되어서 [　　　　　] 것이나 마찬가지였지. 정말 미안해.

(1) 다 된 죽에 코 빠진 (　　　　)
(2) 달면 삼키고 쓰면 뱉는 (　　　　)
(3) 낮말은 새가 듣고 밤말은 쥐가 듣는 (　　　　)

12 주어진 속담을 활용해 그림의 상황을 문장으로 표현하시오.

12

승아야, 나 좀 도와줘.
선미야, 아직 내 것도 다 못 끝냈어.
선미
승아

내 코가 석 자

____

____

25 독장수구구는 *독만 깨뜨린다

뜻 실현성이 없는 헛되고 황당한 계산은 도리어 손해만 가져온다는 말.

* **독**: 간장, 술, 김치 등을 담가 두는 데에 쓰는 큰 항아리.

26 돌다리도 두들겨 보고 건너라

뜻 잘 아는 일이라도 꼼꼼하게 살펴 주의를 하라는 말.

비슷한 말 아는 길도 물어 가랬다, 얕은 내도 깊게 건너라

27 *되로 주고 말로 받는다

뜻 조금 주고 그 대가로 몇 배나 많이 받는 경우를 뜻하는 말.

비슷한 말 한 되 주고 한 *섬 받는다

* **되**: 곡식, 가루, 액체 등의 부피를 잴 때 쓰는 단위. 한 되는 한 말의 10분의 1로 약 1.8리터에 해당함.
* **섬**: 한 섬은 한 말의 열 배로 약 180리터에 해당함.

28 *될성부른 나무는 떡잎부터 알아본다

뜻 잘될 사람은 어려서부터 남다른 뛰어남이 엿보인다는 말.

비슷한 말 잘 자랄 나무는 떡잎부터 안다

* **될성부른**: 잘될 가망이 있어 보이는.

29 등잔 밑이 어둡다

뜻 어떤 사물에서 가까이 있는 사람이 도리어 그 사물에 대해 잘 알기 어렵다는 말.

30 떡 줄 사람은 꿈도 안 꾸는데 김칫국부터 마신다

뜻 줄 사람은 생각도 없는데 다른 사람들이 미리부터 다 된 일로 알고 행동한다는 말.

비슷한 말 김칫국부터 마신다, 떡방아 소리 듣고 김칫국 찾는다, 앞집 떡 치는 소리 듣고 김칫국부터 마신다

31 똥 묻은 개가 겨* 묻은 개 나무란다

뜻 자기는 더 큰 흉이 있으면서 도리어 남의 작은 흉을 본다는 말.

비슷한 말 그슬린 돼지가 달아맨 돼지 타령한다, 뒷간 기둥이 물방앗간 기둥을 더럽다 한다

* **겨**: 곡식을 찧을 때 낟알에서 떨어져 나온 부스러기.

32 뛰는 놈 위에 나는 놈 있다

뜻 아무리 재주가 뛰어나다 하더라도 그보다 더 뛰어난 사람이 있다는 뜻으로, 스스로 뽐내는 사람을 주의하여 이르는 말.

비슷한 말 기는 놈 위에 나는 놈이 있다, 나는 놈 위에 타는 놈 있다

확인 문제

1~2 다음 그림에서 밑줄 그은 속담의 뜻으로 알맞은 것에 ○표 하시오.

1

지우개가 어디 있지?
등잔 밑이 어둡구나.

(1) 일이 이미 잘못된 뒤에는 손을 써도 소용이 없음을 비꼬는 말. (　　)
(2) 어떤 사물에서 가까이 있는 사람이 도리어 그 사물에 대하여 잘 알기 어렵다는 말. (　　)

2

동생 꿀밤을 때렸다가 엄마께 크게 혼이 났어.
되로 주고 말로 받았구나.

(1) 조금 주고 그 대가로 몇 배나 많이 받는 경우를 뜻하는 말. (　　)
(2) 아무리 작은 것이라도 모이고 모이면 나중에 큰 덩어리가 됨을 뜻하는 말. (　　)

3~7 주어진 속담의 뜻을 보고 □ 안에 알맞은 낱말을 쓰시오.

3
뜻 잘 아는 일이라도 꼼꼼하게 살펴 주의를 하라는 말.
예 실수하지 않으려면 □□□도 □□□ 보고 건너라는 말처럼 신중해야 해.

4
뜻 잘될 사람은 어려서부터 남다른 뛰어남이 엿보인다는 말.
예 □□□□ 나무는 □□부터 알아본다더니, 오성은 어렸을 적부터 총명했다.

5
뜻 자기는 더 큰 흉이 있으면서 도리어 남의 작은 흉을 본다는 말.
예 제 단점은 모르고 남의 단점만 지적하다니, □ 묻은 개가 □ 묻은 개 나무라는 꼴이군.

6
뜻 실현성이 없는 헛되고 황당한 계산은 도리어 손해만 가져온다는 말.
예 □□□구구는 □만 깨뜨린다는데, 언제까지 헛된 생각만 하고 있을래?

7
뜻 아무리 재주가 뛰어나다 하더라도 그보다 더 뛰어난 사람이 있다는 뜻으로, 스스로 뽐내는 사람을 주의하여 이르는 말.
예 □□ 놈 위에 □□ 놈 있다는 걸 명심하고 언제나 겸손해야 한단다.

8~10 알맞은 속담을 찾으시오.

8 다음 속담과 뜻이 비슷한 속담을 두 가지 고르시오. (　　　　　)

돌다리도 두들겨 보고 건너라

① 등잔 밑이 어둡다
② 아는 길도 물어 가랬다
③ 얕은 내도 깊게 건너라
④ 한 되 주고 한 섬 받는다
⑤ 뛰는 놈 위에 나는 놈 있다

9 밑줄 그은 속담의 쓰임이 알맞지 않은 것에 ×표 하시오.

(1) 등잔 밑이 어둡다더니, 바로 발밑에 떨어진 단추를 못 찾고 있었네. (　　　)
(2) 뛰는 놈 위에 나는 놈 있다고 했으니 그렇게 잘난 체하다가는 큰코다칠걸. (　　　)
(3) 친구를 놀렸다가 오히려 크게 앙갚음을 당하다니, 독장수구구는 독만 깨뜨리는구나. (　　　)

10 다음 글의 상황에 쓰일 수 있는 속담을 찾아 ○표 하시오.

태준: 설날에 친척 어른들께 세뱃돈을 많이 받으면 게임기를 사야지.
희은: 이번 설날엔 아무도 못 오신다는데, 세뱃돈 받을 생각부터 하고 있어?

(1) 똥 묻은 개가 겨 묻은 개 나무란다 (　　　)
(2) 떡 줄 사람은 꿈도 안 꾸는데 김칫국부터 마신다 (　　　)

11~12 주어진 속담을 활용해 그림의 상황을 문장으로 표현하시오.

11

돌다리도 두들겨 보고 건너라

____

____

12

될성부른 나무는 떡잎부터 알아본다

____

____

33 말이 씨가 된다

뜻 늘 말하던 것이 마침내 사실대로 되었을 때를 이르는 말.

34 말 한마디에 천 냥 빚도 갚는다

뜻 말만 잘하면 어려운 일이나 불가능해 보이는 일도 해결할 수 있다는 말.

비슷한 말 천 냥 빚도 말로 갚는다

35 목마른 놈이 우물 판다

뜻 제일 급하고 일이 필요한 사람이 그 일을 서둘러 하게 되어 있다는 말.

비슷한 말 갑갑한 놈이 *송사한다, 갑갑한 놈이 우물 판다, 답답한 놈이 송사한다

* **송사한다**: 백성끼리 분쟁이 있을 때, 관청에 호소하여 판결을 구한다.

36 못 먹는 감 찔러나 본다

뜻 제 것으로 만들지 못할 바에야 남도 갖지 못하게 못쓰게 만들자는 뒤틀린 마음을 이르는 말.

비슷한 말 나 못 먹을 밥에는 재나 넣지, 못 먹는 밥에 재 집어넣기, 못 먹는 호박 찔러 보는 심사

37 물에 빠진 놈 건져 놓으니까 내 *봇짐 내라 한다

뜻 남에게 은혜를 입고서도 그 고마움을 모르고 생트집을 잡음을 이르는 말.

비슷한 말 물에 빠진 놈 건져 놓으니까 *망건값 달라 한다

* 봇짐: 보자기에 싼 짐.
* 망건: 옛날 사람들이 상투를 튼 후 머리에 두르는 그물 모양 물건.

38 미꾸라지 한 마리가 온 웅덩이를 흐려 놓는다

뜻 한 사람의 좋지 않은 행동이 여러 사람에게 나쁜 영향을 끼침을 뜻하는 말.

비슷한 말 미꾸라지 한 마리가 한강 물을 다 흐리게 한다

39 미운 아이 떡 하나 더 준다

뜻 미운 사람일수록 잘해 주고 감정을 쌓지 않아야 한다는 말.

비슷한 말 미운 사람에게는 쫓아가 인사한다

40 믿는 도끼에 발등 찍힌다

뜻 잘되리라고 믿고 있던 일이 어긋나거나 믿고 있던 사람이 배신하여 오히려 해를 입음을 뜻하는 말.

비슷한 말 낯익은 도끼에 발등 찍힌다, 믿던 발에 돌 찍힌다, 믿었던 돌에 *발부리 채었다, 아는 도끼에 발등 찍힌다

* 발부리: 발가락 앞쪽 끝부분.

확인 문제

1~3 다음 뜻에 알맞은 속담을 서로 연결하시오.

1 말만 잘하면 어려운 일이나 불가능해 보이는 일도 해결할 수 있다는 말. •

2 남에게 은혜를 입고서도 그 고마움을 모르고 생트집을 잡음을 이르는 말. •

3 한 사람의 좋지 않은 행동이 여러 사람에게 나쁜 영향을 끼침을 뜻하는 말. •

• ㉮ 말 한마디에 천 냥 빚도 갚는다

• ㉯ 미꾸라지 한 마리가 온 웅덩이를 흐려 놓는다

• ㉰ 물에 빠진 놈 건져 놓으니까 내 봇짐 내라 한다

4~8 빈칸에 들어갈 알맞은 속담을 보기에서 찾아 쓰시오.

보기

- 말이 씨가 된다
- 목마른 놈이 우물 판다
- 못 먹는 감 찔러나 본다
- 믿는 도끼에 발등 찍힌다
- 미운 아이 떡 하나 더 준다

4 (　　　　　　　　　　　　)더니, 가장 친한 친구가 나를 배신할 줄이야!

5 (　　　　　　　　　　　　)는 말도 있으니 그런 좋지 않은 말은 하지도 마.

6 (　　　　　　　　　　　　)고 했으니, 누군가가 먼저 나설 때까지 기다려 보자.

7 다 먹지도 못할 빵들을 전부 한 입씩 베어 먹다니, (　　　　　　　　　　　　)는 심보로구나.

8 그 심술쟁이 녀석에게 (　　　　　　　　　　　　)는 마음으로 내가 먼저 잘해 주니까 더 이상 심술을 안 부리더라.

9~11 알맞은 속담을 찾으시오.

9 다음 속담에서 ㉠과 ㉡이 가리키는 것이 순서대로 알맞게 짝 지어진 것은 무엇입니까? (　　　)

> ㉠미꾸라지 한 마리가 ㉡온 웅덩이를 흐려 놓는다

① 대중 – 군중　② 집단 전체 – 일부
③ 한 사람 – 여러 사람　④ 여러 사람 – 한 사람
⑤ 자기 자신 – 다른 사람

10 다음 중 밑줄 그은 속담의 쓰임이 알맞지 않은 것은 무엇입니까? (　　　)

① 소풍 가는 날 비가 올 거라고 하더니 결국 말이 씨가 됐다.
② 미운 아이 떡 하나 더 준다고 했으니 나쁜 버릇은 어릴 때 고쳐야 해.
③ 말 한마디에 천 냥 빚도 갚는다고 했으니 솔직히 사과하면 너를 용서해 줄게.
④ 목마른 놈이 우물 판다고, 누가 도와주기를 기다릴 틈이 없으니 내가 나서야지.
⑤ 달리기는 늘 1등이라서 연습을 안 했는데 이번엔 꼴찌라니, 믿는 도끼에 발등 찍혔군.

11 다음 대화를 읽고 빈칸에 들어갈 알맞은 말에 ○표 하시오.

> 준성: 정아야, 네가 도와준 미술 숙제 중 이 부분 말이야. 왜 이렇게 색칠한 거야? 마음에 안 드니까 다시 그려 줘.
> 정아: 뭐? 도와준 나에게 고맙다는 말은커녕 다시 그려 달라니, [　　　　] 심보구나!

(1) 못 먹는 감 찔러나 본다는　(　　　)
(2) 물에 빠진 놈 건져 놓으니까 내 봇짐 내라 하는　(　　　)

12 주어진 속담을 활용해 그림의 상황을 문장으로 표현하시오.

12

믿는 도끼에 발등 찍힌다

____

____

1주 마무리

그림의 상황에 알맞은 속담을 떠올려 □ 안에 알맞은 낱말을 쓰시오.

01

□□ 말이 □□□

□□ 말이 곱다

02

□에 □□다

□□에 □□다 한다

03

□□□ □□□ 적

□□ 못 한다

04

□□이 서 말이라도

□□□ □□

05

□□□ 날자 □ 떨어진다

06

내 □가 □자

07 다 된 □에 □ □□다

08 □ 줄 사람은 □도 안 꾸는데 □□□부터 마신다

09 □ 묻은 개가 □ 묻은 개 □□□다

10 □이 □가 된다

11 □□□ 놈이 □□ 판다

12 □□ □□에 □□ 찍힌다

41 밑 빠진 독에 물 붓기

뜻 아무리 힘이나 돈을 들여도 보람 없이 헛된 일이 되는 것을 나타내는 말.

42 바늘 가는 데 실 간다

뜻 바늘이 가는 데 실이 항상 뒤따른다는 뜻으로, 항상 붙어 다니는 매우 가까운 사이를 나타내는 말.

비슷한 말 구름 갈 제 비가 간다, 바늘 가는 데 실 가고 바람 가는 데 구름 간다, 바람 간 데 범 간다, 봉 가는 데 황 간다

43 바늘 도둑이 소도둑 된다

뜻 작은 나쁜 짓도 자꾸 하게 되면 큰 죄를 저지르게 됨을 뜻하는 말.

비슷한 말 바늘*쌈지에서 도둑이 난다

* 쌈지: 동전 등을 싸서 가지고 다니는 작은 주머니.

44 발 없는 말이 천 리 간다

뜻 말은 비록 발이 없지만 천 리 밖까지도 순식간에 퍼진다는 뜻으로, 말을 조심해야 함을 나타내는 말.

45 배보다 배꼽이 더 크다

뜻 기본이 되는 것보다 덧붙이는 것이 더 많거나 큰 경우를 뜻하는 말.

비슷한 말 발보다 발가락이 더 크다

46 *백지장도 맞들면 낫다

뜻 쉬운 일이라도 서로 도와서 하면 훨씬 쉽다는 말.

비슷한 말 백지 한 장도 맞들면 낫다, 종잇장도 맞들면 낫다, 초지장도 맞들면 낫다

* **백지장**: 하얀 종이의 낱장.

47 벼 *이삭은 익을수록 고개를 숙인다

뜻 품성이나 지식이 쌓인 사람일수록 겸손하고 남 앞에서 자기를 내세우려 하지 않는다는 것을 뜻하는 말.

비슷한 말 낟알은 익을수록 고개를 숙인다, 병에 찬 물은 저어도 소리가 나지 않는다

* **이삭**: 곡식의 꽃이 피고 열매가 달리는 부분.

48 불난 집에 부채질한다

뜻 남의 어려움이나 불행을 점점 더 커지도록 만들거나 화난 사람을 더욱 화나게 함을 뜻하는 말.

비슷한 말 불난 데 *풀무질한다

* **풀무**: 불을 피울 때 바람을 일으키는 도구.

확인 문제

1~3 다음 뜻에 해당하는 속담을 보기에서 찾아 기호를 쓰시오.

보기

㉮ 밑 빠진 독에 물 붓기
㉯ 바늘 도둑이 소도둑 된다
㉰ 벼 이삭은 익을수록 고개를 숙인다

1 작은 나쁜 짓도 자꾸 하게 되면 큰 죄를 저지르게 됨을 뜻하는 말.
→ (   )

2 아무리 힘이나 돈을 들여도 보람 없이 헛된 일이 되는 것을 나타내는 말.
→ (   )

3 품성이나 지식이 쌓인 사람일수록 겸손하고 남 앞에서 자기를 내세우려 하지 않는다는 것을 뜻하는 말.
→ (   )

4~8 주어진 속담의 뜻을 보고 (   ) 안의 알맞은 말에 ○표 하시오.

4 뜻 말을 조심해야 함을 나타내는 말.
예 (손, 발) 없는 말이 천 리 간다고 했으니 이제 소문이 퍼지는 것은 시간문제야.

5 뜻 쉬운 일이라도 서로 도와서 하면 훨씬 쉽다는 말.
예 백지장도 (그리면, 맞들면) 낫다고 하니 혼자 하지 말고, 같이 하자.

6 뜻 항상 붙어 다니는 매우 가까운 사이를 나타내는 말.
예 바늘 가는 데 (실, 가위) 간다더니 너희 둘은 항상 붙어 다니는구나.

7 뜻 기본이 되는 것보다 덧붙이는 것이 더 많거나 큰 경우를 뜻하는 말.
예 시계 수리비가 시곗값보다 비싸다니, 배보다 (등, 배꼽)이 더 큰 격이네.

8 뜻 남의 어려움이나 불행을 점점 더 커지도록 만들거나 화난 사람을 더욱 화나게 함을 뜻하는 말.
예 안 그래도 화가 잔뜩 나 있는 형님을 약 올리다니 불난 집에 (톱질, 부채질)하는구나.

9~11 알맞은 속담을 찾으시오.

9 다음 속담의 빈칸에 공통으로 들어갈 낱말로 알맞은 것은 무엇입니까? (   )

- [   ] 가는 데 실 간다
- [   ] 도둑이 소도둑 된다

① 실　② 닭　③ 바늘
④ 헝겊　⑤ 송아지

10 다음 두 가지 상황에 모두 쓸 수 있는 속담은 무엇입니까? (   )

- 한 친구에게만 했던 이야기를 다른 친구도 알고 있을 때
- 누군가에 대한 소문이 순식간에 퍼졌을 때

① 불난 집에 부채질한다　② 밑 빠진 독에 물 붓기
③ 백지장도 맞들면 낫다　④ 배보다 배꼽이 더 크다
⑤ 발 없는 말이 천 리 간다

11 다음 글에서 밑줄 그은 부분과 뜻이 통하는 속담에 ○표 하시오.

누구나 자신이 가진 능력이나 지식의 정도가 높아지면 그것을 뽐내고 싶어 하기 마련이다. 그러나 진정으로 훌륭한 사람은 <u>잘난 체하기보다는 오히려 다른 사람 앞에서 자신을 드러내지 않고 겸손한 모습을 보인다.</u>

(1) 백지장도 맞들면 낫다 (   )
(2) 불난 집에 부채질한다 (   )
(3) 벼 이삭은 익을수록 고개를 숙인다 (   )

12 주어진 속담을 활용해 그림의 상황을 문장으로 표현하시오.

12

바늘 가는 데 실 간다

____

____

공부한 날 월 일 정답 5 쪽

"비 온 뒤에 땅이 굳어진다 ~ 세 살 적 버릇이 여든까지 간다"

49 비 온 뒤에 땅이 굳어진다

뜻 비에 젖어 질척거리던 흙도 마르면서 단단하게 굳어진다는 뜻으로, 힘든 일을 겪은 뒤에 더 강해짐을 나타내는 말.

50 빈대 잡으려고 *초가삼간 태운다

뜻 손해를 크게 볼 것을 생각지 않고 마음에 들지 않는 것을 없애려고 그저 덤비기만 하는 경우를 뜻하는 말.

비슷한 말 빈대 미워 집에 불 놓는다

* **초가삼간**: 세 칸밖에 안 되는 초가라는 뜻으로, 아주 작은 집을 이르는 말.

51 빈 수레가 요란하다

뜻 *실속 없는 사람이 겉으로 더 떠들어 댐을 뜻하는 말.

비슷한 말 속이 빈 깡통이 소리만 요란하다

* **실속**: 진짜 알맹이가 되는 실제의 내용.

52 빛 좋은 *개살구

뜻 겉보기에는 먹음직스러운 빛깔을 띠고 있지만 맛은 없는 개살구라는 뜻으로, 겉만 그럴듯하고 실속이 없는 경우를 나타내는 말.

* **개살구**: 개살구나무의 열매. 살구보다 맛이 시고 떫음.

속담 강의

속담

2주 2일

53 *사공이 많으면 배가 산으로 간다

뜻 책임을 지고 맡아 관리하는 사람 없이 여러 사람이 자기주장만 내세우면 일이 제대로 되기 어려움을 뜻하는 말.

* **사공**: 직업으로 배를 젓는 사람.

54 *살은 쏘고 주워도 말은 하고 못 줍는다

뜻 화살은 쏘아도 찾을 수 있으나 말은 다시 거두어 바로잡을 수 없다는 뜻으로, 말을 조심해야 한다는 말.

비슷한 말 쌀은 쏟고 주워도 말은 하고 못 줍는다

* **살**: 화살.

55 서당 개 삼 년에 *풍월을 읊는다

뜻 어떤 분야에 대하여 지식과 경험이 전혀 없는 사람이라도 그 부문에 오래 있으면 얼마간의 지식과 경험을 갖게 된다는 것을 뜻하는 말.

비슷한 말 독서당 개가 맹자 왈 한다

* **풍월**: 얻어들은 짧은 지식.

56 세 살 적 버릇이 여든까지 간다

뜻 어릴 때부터 나쁜 버릇이 들지 않도록 잘 가르쳐야 함을 뜻하는 말.

비슷한 말 어릴 적 버릇은 늙어서까지 간다

확인 문제

1~2 다음 그림에서 밑줄 그은 속담의 뜻으로 알맞은 것에 ○표 하시오.

1

세 살 적 버릇이
여든까지 가는 법인데
지금부터 부지런한
생활을 해야지!

(1) 어릴 때부터 나쁜 버릇이 들지 않도록 잘 가르쳐야 함을 뜻하는 말. ( )

(2) 모든 일은 근본에 따라 거기에 걸맞은 결과가 나타나는 것임을 뜻하는 말. ( )

2

(1) 아무리 익숙하고 잘하는 사람이라도 가끔 실수할 때가 있음을 뜻하는 말. ( )

(2) 손해를 크게 볼 것을 생각지 않고 마음에 들지 않는 것을 없애려고 그저 덤비기만 하는 경우를 뜻하는 말. ( )

3~7 주어진 속담의 뜻을 보고 □ 안에 알맞은 낱말을 쓰시오.

3

뜻 힘든 일을 겪은 뒤에 더 강해짐을 나타내는 말.

예 지금은 어렵더라도 □ 온 뒤에 □이 굳어진다고 했으니 좀 더 힘을 내자.

4

뜻 겉만 그럴듯하고 실속이 없는 경우를 나타내는 말.

예 이 신발은 모양은 예뻐도 신으면 발이 불편해서 □ 좋은 □□□다.

5

뜻 실속 없는 사람이 겉으로 더 떠들어 댐을 뜻하는 말.

예 제대로 알지도 못하면서 잘난 척만 하다니, 빈 □□가 □□하구나.

6

뜻 책임을 지고 맡아 관리하는 사람 없이 여러 사람이 자기주장만 내세우면 일이 제대로 되기 어려움을 뜻하는 말.

예 □□이 많으면 □가 □으로 가는 법이니 그 일은 회장이 정하렴.

7

뜻 어떤 분야에 대하여 지식과 경험이 전혀 없는 사람이라도 그 부문에 오래 있으면 얼마간의 지식과 경험을 갖게 된다는 것을 뜻하는 말.

예 □□ 개 삼 년에 □□을 읊는다더니 어깨너머로 보고 들은 것 치고는 제법이다.

8~10 알맞은 속담을 찾으시오.

8 ㉠~㉢ 중 빈칸에 들어갈 속담이 다른 것을 찾아 기호를 쓰시오.

㉠ [   ] 고 했으니 네가 한 말은 꼭 지키렴.
㉡ [   ] 는 법이니 말조심을 해야 한다는 것을 명심해.
㉢ [   ] 더니 실제로는 별것 없으면서 말은 그럴듯하게 하네.

(   )

9 밑줄 그은 속담의 쓰임이 알맞지 않은 것에 ×표 하시오.

(1) 무척 값싼 옷을 구입했는데 몸에도 잘 맞고 편해서 빛 좋은 개살구였다. (   )

(2) 비 온 뒤에 땅이 굳어진다고 했으니 이 어려움을 이겨 내면 좋은 날이 올 거야. (   )

(3) 세 살 적 버릇이 여든까지 간다는데 태호는 아직도 손톱 깨무는 버릇을 못 고쳤다. (   )

10 다음 밑줄 그은 부분과 뜻이 통하는 속담에 ○표 하시오.

예지: 너희 모둠은 학예회에서 어떤 것을 발표할지 정했니?
기정: 아니. 친구들이 각자 원하는 것만 이야기하는 바람에 결국 아무것도 못 정했어.

(1) 서당 개 삼 년에 풍월을 읊는다 (   )
(2) 사공이 많으면 배가 산으로 간다 (   )

11~12 주어진 속담을 활용해 그림의 상황을 문장으로 표현하시오.

11

빛 좋은 개살구

12

빈 수레가 요란하다

속담 08

“소 잃고 외양간 고친다 ~ 우물에 가 숭늉 찾는다”

57 소 잃고 외양간 고친다

뜻 일이 이미 잘못된 뒤에는 손을 써도 소용이 없음을 비꼬는 말.

비슷한 말 도둑맞고 *사립 고친다, 말 잃고 외양간 고친다

* **사립**: 나뭇가지를 엮어서 만든 문.

58 쇠귀에 *경 읽기

뜻 아무리 가르치고 알려 주어도 알아듣지 못하거나 효과가 없는 경우를 뜻하는 말.

비슷한 말 말 귀에 *염불, 우이독경(牛 소 우, 耳 귀 이, 讀 읽을 독, 經 글 경)

* **경**: 불교의 기본이 되는 가르침을 적은 책인 '불경'의 준말.
* **염불**: (불교에서) 불경의 구절을 외는 것.

59 쇠뿔도 단김에 빼랬다

뜻 어떤 일이든지 하려고 생각했으면 한창 열이 올랐을 때 망설이지 말고 곧 행동으로 옮겨야 함을 뜻하는 말.

비슷한 말 단김에 소뿔 빼듯

60 숭어가 뛰니까 망둥이도 뛴다

뜻 1. 남이 한다고 하니까 생각 없이 덩달아 나서는 것을 뜻하는 말. 2. 제 분수나 상황은 생각하지 않고 잘난 사람을 무조건 따르는 것을 뜻하는 말.

비슷한 말 망둥이가 뛰면 꼴뚜기도 뛴다

속담

2주 3일

61 시작이 반이다

뜻 무슨 일이든지 시작하기가 어렵지, 일단 시작하면 일을 끝마치기는 그리 어렵지 않음을 뜻하는 말.

62 아 해 다르고 어 해 다르다

뜻 같은 내용의 이야기라도 이렇게 말하여 다르고 저렇게 말하여 다르다는 말.

비슷한 말 에 해 다르고 애 해 다르다

63 우물 안 개구리

뜻 1. 넓은 세상의 형편을 알지 못하는 사람을 뜻하는 말. 2. 아는 것이 적어 저만 잘난 줄로 아는 사람을 비꼬는 말.

비슷한 말 정저와(井 우물 정, 底 밑 저, 蛙 개구리 와)

64 우물에 가 숭늉 찾는다

뜻 모든 일에는 질서와 차례가 있는 법인데 일의 순서도 모르고 성급하게 덤비는 것을 뜻하는 말.

비슷한 말 보리밭에 가 숭늉 찾는다, *싸전에 가서 밥 달라고 한다

* 싸전: 쌀·보리·콩 등의 곡식을 파는 가게.

확인 문제

1~3 다음 뜻에 알맞은 속담을 서로 연결하시오.

1 일이 이미 잘못된 뒤에는 손을 써도 소용이 없음을 비꼬는 말. • • ㉮ 시작이 반이다

2 같은 내용의 이야기라도 이렇게 말하여 다르고 저렇게 말하여 다르다는 말. • • ㉯ 소 잃고 외양간 고친다

3 무슨 일이든지 시작하기가 어렵지, 일단 시작하면 일을 끝마치기는 그리 어렵지 않음을 뜻하는 말. • • ㉰ 아 해 다르고 어 해 다르다

4~8 빈칸에 들어갈 알맞은 속담을 보기에서 찾아 쓰시오.

보기
- 쇠귀에 경 읽기
- 우물 안 개구리
- 쇠뿔도 단김에 빼랬다
- 우물에 가 숭늉 찾는다
- 숭어가 뛰니까 망둥이도 뛴다

4 아무리 충고를 해도 듣지 않으니 (   )로구나.

5 (   )라는 말도 있듯이 마음먹었을 때 바로 시작하자.

6 (   )더니 걸음마 하는 아기에게 벌써 달리라고 하면 어떡하니?

7 동네 노래자랑에서 1등 했다고 가수가 된 척하다니, (   )가 따로 없다.

8 (   )더니 형이 피아노를 배운다니까 너도 덩달아 배우겠다고 떼를 쓰는구나.

9~11 알맞은 속담을 찾으시오.

9 다음 속담의 빈칸에 공통으로 들어갈 낱말로 알맞은 것은 무엇입니까? (   )

- [   ] 안 개구리
- [   ]에 가 숭늉 찾는다

① 개울　② 바다　③ 우물
④ 부엌　⑤ 마당

속담

2주 3일

10 다음 중 밑줄 그은 속담의 쓰임이 알맞지 않은 것은 무엇입니까? (   )

① 소 잃고 외양간 고친다더니 비를 다 맞고 나서야 우산을 사면 뭐하니?
② 휴대 전화를 사야 할 것 같으니 쇠뿔도 단김에 빼랬다고 당장 구경해 보자.
③ 아 해 다르고 어 해 다른 법이니 정확한 표현으로 말해야 오해를 받지 않는다.
④ 시작이 반이라 했으니 일단 일을 시작하고 나면 그리 오래 걸리지 않을 것이다.
⑤ 불필요한 물건인데도 남이 사니까 무작정 따라 사는 것은 쇠귀에 경 읽기와 같다.

11 다음 글의 상황에 쓰일 수 있는 속담에 ○표 하시오.

얼마 전 텔레비전에서 연예인이 매운 음식을 먹는 장면이 나온 뒤 우리 학교에서는 매운 음식 먹기 열풍이 불었다. 많은 아이들이 자기 입맛은 생각하지 않고 매운 음식을 먹느라 배탈이 나기도 했다.

(1) 시작이 반이다 (   )
(2) 아 해 다르고 어 해 다르다 (   )
(3) 숭어가 뛰니까 망둥이도 뛴다 (   )

12 주어진 속담을 활용해 그림의 상황을 문장으로 표현하시오.

12

우물 안 개구리

____

____

"우물을 파도 한 우물을 파라 ~ 콩 심은 데 콩 나고 팥 심은 데 팥 난다"

65 우물을 파도 한 우물을 파라

뜻 일을 너무 벌여 놓거나 하던 일을 자주 바꾸어 하면 아무런 성과가 없으니 어떠한 일이든 한 가지 일을 끝까지 해야 성공할 수 있다는 말.

66 원숭이도 나무에서 떨어진다

뜻 아무리 익숙하고 잘하는 사람이라도 가끔 실수할 때가 있음을 뜻하는 말.

비슷한 말 나무 잘 타는 잔나비(원숭이) 나무에서 떨어진다, 닭도 *홰에서 떨어지는 날이 있다

* 홰: 닭이나 새가 올라앉도록 닭장이나 새장 속에 가로지른 나무 막대.

67 윗물이 맑아야 아랫물이 맑다

뜻 윗사람이 잘하면 아랫사람도 따라서 잘하게 된다는 말.

68 입은 비뚤어져도 말은 바로 하랬다

뜻 상황이 어떻든지 말은 언제나 바르게 해야 함을 뜻하는 말.

비슷한 말 입은 비뚤어져도 *주라는 바로 불어라

* 주라: 붉은 칠을 한 소라 껍데기로 만든 관악기의 하나.

69 지렁이도 밟으면 꿈틀한다

뜻 아무리 눌려 지내는 사람이나, 순하고 좋은 사람이라도 너무 하찮게 여기면 가만있지 않는다는 말.

비슷한 말 굼벵이도 밟으면 꿈틀한다, 지나가는 달팽이도 밟으면 꿈틀한다

70 쥐구멍에도 볕 들 날 있다

뜻 몹시 고생을 하는 삶도 좋은 운수가 생길 날이 있다는 말.

비슷한 말 개똥밭에 이슬 내릴 때가 있다, *고랑도 이랑 될 날 있다

* **고랑**: 밭의 두 두둑 사이의 움푹한 곳.

71 천 리 길도 한 걸음부터

뜻 무슨 일이나 그 일의 시작이 중요하다는 말.

72 콩 심은 데 콩 나고 팥 심은 데 팥 난다

뜻 모든 일은 근본에 따라 거기에 걸맞은 결과가 나타나는 것임을 뜻하는 말.

비슷한 말 가시나무에 가시가 난다, 대 끝에서 대가 나고 싸리 끝에서 싸리가 난다, 대나무 그루에선 대나무가 난다, 배나무에 배 열리지 감 안 열린다

확인 문제

1~3 다음 뜻에 해당하는 속담을 보기에서 찾아 기호를 쓰시오.

보기

㉮ 천 리 길도 한 걸음부터
㉯ 윗물이 맑아야 아랫물이 맑다
㉰ 콩 심은 데 콩 나고 팥 심은 데 팥 난다

1 무슨 일이나 그 일의 시작이 중요하다는 말.
→ (   )

2 윗사람이 잘하면 아랫사람도 따라서 잘하게 된다는 말.
→ (   )

3 모든 일은 근본에 따라 거기에 걸맞은 결과가 나타나는 것임을 뜻하는 말.
→ (   )

4~8 주어진 속담의 뜻을 보고 (   ) 안의 알맞은 말에 ○표 하시오.

4 뜻 몹시 고생을 하는 삶도 좋은 운수가 생길 날이 있다는 말.
예 (쥐구멍, 귓구멍)에도 볕 들 날 있다고 했으니 언젠가는 좋은 날이 올 것이다.

5 뜻 상황이 어떻든지 말은 언제나 바르게 해야 함을 뜻하는 말.
예 입은 (다물어도, 비뚤어져도) 말은 바로 하랬으니 거짓말은 하지 마라.

6 뜻 아무리 익숙하고 잘하는 사람이라도 가끔 실수할 때가 있음을 뜻하는 말.
예 네가 그 문제를 틀리다니, 원숭이도 나무에서 (뛰어놀, 떨어질) 때가 있구나.

7 뜻 아무리 눌려 지내는 사람이나, 순하고 좋은 사람이라도 너무 하찮게 여기면 가만있지 않는다는 말.
예 지렁이도 밟으면 (반짝, 꿈틀)한다는데 내가 언제까지 참을 줄 알았니?

8 뜻 일을 너무 벌여 놓거나 하던 일을 자주 바꾸어 하면 아무런 성과가 없으니 어떠한 일이든 한 가지 일을 끝까지 해야 성공할 수 있다는 말.
예 우물을 파도 (한, 여러) 우물을 파랬으니까 한 번 마음먹은 일은 끝까지 도전할 거야.

9~11 알맞은 속담을 찾으시오.

9 다음 ㉠과 ㉡에 해당하는 예가 알맞게 짝 지어지지 못한 것은 무엇입니까? (   )

㉠윗물이 맑아야 ㉡아랫물이 맑다

① 형 – 동생
② 선배 – 후배
③ 부모 – 자식
④ 아이 – 어린이
⑤ 선생님 – 학생

10 밑줄 그은 속담의 쓰임이 알맞은 것에 ○표 하시오.

(1) 쥐구멍에도 볕 들 날 있다더니, 요즘에는 잘되는 일이 하나도 없구나. (   )
(2) 실속도 없이 입으로만 떠드는 걸 보니 지렁이도 밟으면 꿈틀하는 격이군. (   )
(3) 천 리 길도 한 걸음부터라고 했으니 눈앞의 작은 일부터 하나씩 시작하자. (   )
(4) 입은 비뚤어져도 말은 바로 하랬다더니 하필 놀이공원에 가는 날 비가 올 줄이야. (   )

11 다음 빈칸에 들어갈 알맞은 말에 ○표 하시오.

기태: 매일 놀면서 공부도 잘할 수 있으면 좋겠다.
지민: [   ] 법인데 놀기만 하고 어떻게 공부를 잘하겠어?

(1) 쥐구멍에도 볕 들 날 있는 (   )
(2) 지렁이도 밟으면 꿈틀하는 (   )
(3) 콩 심은 데 콩 나고 팥 심은 데 팥 나는 (   )

12 주어진 속담을 활용해 그림의 상황을 문장으로 표현하시오.

12

원숭이도 나무에서 떨어진다

____

____

73 콩으로 메주를 쑨다 하여도 곧이듣지 않는다

뜻 아무리 사실대로 말하여도 믿지 않음을 뜻하는 말.

비슷한 말 소금으로 장을 담근다 해도 곧이듣지 않는다, 콩 가지고 두부 만든대도 곧이 안 듣는다

74 티끌 모아 태산

뜻 아무리 작은 것이라도 모이고 모이면 나중에 큰 덩어리가 됨을 뜻하는 말.

비슷한 말 먼지도 쌓이면 큰 산이 된다, 모래알도 모으면 산이 된다, 실도랑 모여 대동강이 된다

75 *하룻강아지 범 무서운 줄 모른다

뜻 철없이 함부로 덤비는 경우를 나타내는 말.

비슷한 말 범 모르는 하룻강아지, *비루먹은 강아지 대호를 건드린다

* **하룻강아지**: 난 지 얼마 안 되는 어린 강아지.
* **비루먹은**: (개나 말 등이) 피부가 헐고 털이 빠지는 병에 걸린.

76 호랑이 굴에 가야 호랑이 새끼를 잡는다

뜻 원하는 목표를 이루려면 그에 필요한 일을 해야 함을 나타내는 말.

77 호랑이도 제 말 하면 온다

뜻 1. 어느 곳에서나 그 자리에 없다고 남을 흉보아서는 안 된다는 말. 2. 다른 사람에 관한 이야기를 하는데 공교롭게 그 사람이 나타나는 경우를 뜻하는 말.

비슷한 말 까마귀 제 소리 하면 온다, 범도 제 소리 하면 오고 사람도 제 말 하면 온다

78 호랑이에게 물려 가도 정신만 차리면 산다

뜻 아무리 위급한 일이 생기더라도 정신만 똑똑히 차리면 위기를 벗어날 수가 있다는 말.

비슷한 말 범에게 열두 번 물려 가도 정신을 놓지 말라

79 호박이 넝쿨째로 굴러떨어졌다

뜻 뜻밖에 좋은 물건을 얻거나 행운을 만났다는 말.

비슷한 말 굴러온 호박, 아닌 밤중에 찰시루떡, 호박이 떨어졌다

80 호미로 막을 것을 가래로 막는다

뜻 1. 적은 힘으로 충분히 처리할 수 있는 일에 쓸데없이 많은 힘을 들이는 경우를 뜻하는 말. 2. 커지기 전에 처리하였으면 쉽게 해결되었을 일을 내버려 두었다가 나중에 큰 힘을 들이게 된 경우를 뜻하는 말.

확인 문제

1~2 다음 그림에서 밑줄 그은 속담의 뜻으로 알맞은 것에 ○표 하시오.

1

(1) 철없이 함부로 덤비는 경우를 나타내는 말. ( )

(2) 아는 것이 적어 저만 잘난 줄로 아는 사람을 나타내는 말. ( )

2

(1) 일이 이미 잘못된 뒤에는 손을 써도 소용이 없음을 비꼬는 말. ( )

(2) 아무리 위급한 일이 생기더라도 정신만 똑똑히 차리면 위기를 벗어날 수가 있다는 말. ( )

3~7 주어진 속담의 뜻을 보고 □ 안에 알맞은 낱말을 쓰시오.

3

뜻 뜻밖에 좋은 물건을 얻거나 행운을 만났다는 말.

예 좋은 가구를 공짜로 얻게 되다니, □□이 □□째로 굴러떨어졌다.

4

뜻 아무리 사실대로 말하여도 믿지 않음을 뜻하는 말.

예 그런 거짓말쟁이의 말은 □으로 □□를 쑨다고 하여도 곧이듣지 않을 것이다.

5

뜻 원하는 목표를 이루려면 그에 필요한 일을 해야 함을 나타내는 말.

예 호랑이 □에 가야 호랑이 □□를 잡는 법이니 목표가 있다면 용기 내어 실천해라.

6

뜻 아무리 작은 것이라도 모이고 모이면 나중에 큰 덩어리가 됨을 뜻하는 말.

예 □□ 모아 □□인 법이니 작고 보잘것없는 것이라도 하찮게 여기지 마.

7

뜻 다른 사람에 관한 이야기를 하는데 공교롭게 그 사람이 나타나는 경우를 뜻하는 말.

예 □□□도 제 □ 하면 온다더니 하필 네 이야기를 하는 중에 왔구나.

8~10 알맞은 속담을 찾으시오.

8 ㉠~㉢ 중 빈칸에 들어갈 낱말이 다른 것을 찾아 기호를 쓰시오.

㉠ [　　　]도 제 말 하면 온다
㉡ [　　　] 범 무서운 줄 모른다
㉢ [　　　]에게 물려 가도 정신만 차리면 산다

(　　　　　　　　)

9 밑줄 그은 속담의 쓰임이 알맞지 않은 것에 ×표 하시오.

(1) 티끌 모아 태산이라더니 동전을 저금해서 큰돈을 모았다. (　　)
(2) 선물보다 선물 포장지가 더 비싸다니, 호박이 넝쿨째로 굴러떨어졌다. (　　)
(3) 그 사람이 내 말은 콩으로 메주를 쑨다 해도 곧이듣지 않아서 설득할 수가 없다. (　　)

10 다음 글에서 밑줄 그은 부분과 뜻이 통하는 속담에 ○표 하시오.

민우는 얼마 전부터 기침이 점점 심해져 결국 병원을 찾았다. 의사 선생님께서는 작은 병이라고 내버려 두었다가는 큰 병을 얻게 된다고 말씀하셨다.

(1) 호미로 막을 것을 가래로 막는다 (　　)
(2) 호랑이 굴에 가야 호랑이 새끼를 잡는다 (　　)

11~12 주어진 속담을 활용해 그림의 상황을 문장으로 표현하시오.

11

호랑이도 제 말 하면 온다

____

____

12

호미로 막을 것을 가래로 막는다

____

____

2주 마무리

그림의 상황에 알맞은 속담을 떠올려 □ 안에 알맞은 낱말을 쓰시오.

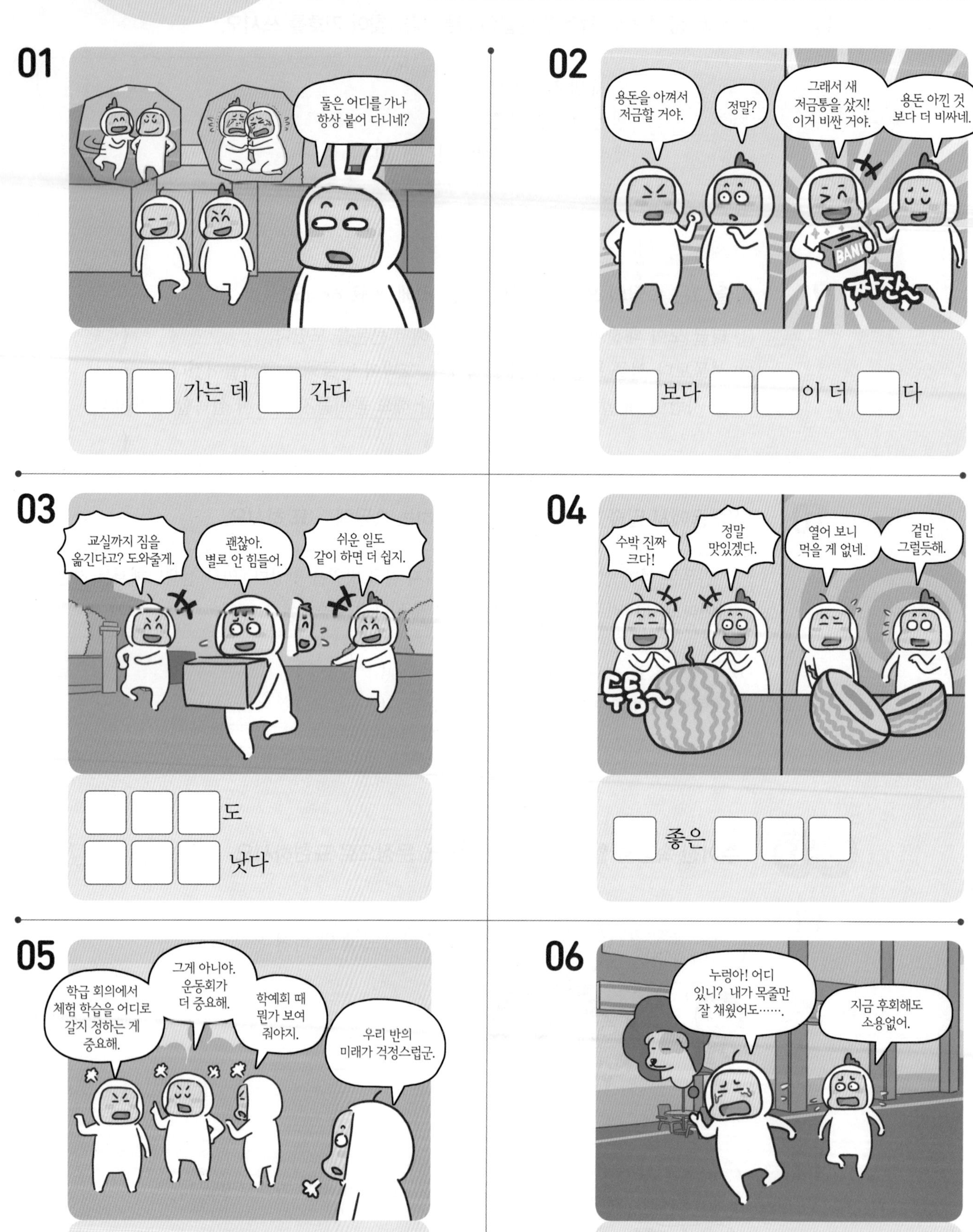

01 □□ 가는 데 □ 간다

02 □보다 □□이 더 □다

03 □□□도 □□□ 낫다

04 □ 좋은 □□□

05 □□이 많으면 □가 □으로 간다

06 □ 잃고 □□□ 고친다

07

□□ 안 □□□

08

□□이 맑아야
□□□이 맑다

09

□ 심은 데 □ 나고
□ 심은 데 □ 난다

10

□□ 모아 □□

11

□□□□□
범 □□□ 줄 모른다

12

□□□도 제 □ 하면 온다

더 알아보기

속담

"속담에 자주 등장하는 동물은 무엇일까요?"

우리나라에는 동물에 관련된 속담이 참 많습니다. 구렁이, 개구리, 고양이, 꿩, 올챙이, 닭, 돼지, 벼룩, 미꾸라지 등 생각보다 다양한 동물들이 등장하지요. 이는 동물의 특성이나 행동에 빗대어서 사람의 인격이나 성품을 자연스럽게 표현할 수 있기 때문입니다. 그럼 그중에서도 속담에 가장 많이 등장하는 동물은 무엇일까요? 정확한 숫자로 우열을 가리기는 어렵지만 보통 개와 소, 호랑이가 많이 등장합니다. 개와 소는 일상생활에서 흔하게 볼 수 있는 동물이니 속담에도 자주 등장하는 것이 이해가 되지만, 호랑이가 속담에 자주 등장하는 까닭은 무엇일까요? 호랑이가 등장하는 대표적인 속담과 함께 그 까닭을 알아봅시다.

- **호랑이도 제 말 하면 온다**
  깊은 산에 있는 호랑이조차도 저에 대하여 이야기하면 찾아온다는 뜻으로, 어느 곳에서나 그 자리에 없다고 남을 흉보아서는 안 된다는 말.

- **호랑이도 제 새끼 안 잡아먹는다**
  사람이 제 자식을 사랑하는 것은 당연하다는 말.

- **호랑이 없는 골에 토끼가 왕 노릇 한다**
  뛰어난 사람이 없는 곳에서 보잘것없는 사람이 힘을 얻는다는 말.

- **호랑이 굴에 가야 호랑이 새끼를 잡는다**
  원하는 목표를 이루려면 그에 필요한 일을 해야 한다는 말.

- **호랑이에게 물려 가도 정신만 차리면 산다**
  아무리 위급한 일이 생기더라도 정신만 똑똑히 차리면 위기를 벗어날 수가 있다는 말.

- **호랑이를 그리려다가 강아지 그린다**
  시작할 때는 크게 마음먹고 훌륭한 것을 만들려고 하였으나 생각과는 다르게 초라하고 엉뚱한 것을 만들게 되었다는 말.

속담 속 호랑이를 살펴보면 우리 조상들은 호랑이를 **동물의 왕, 세력을 가진 힘센 존재, 무서움의 대상**으로 생각했다는 것을 알 수 있습니다. 옛날에는 우리나라에 호랑이가 많았는데, 대개 백두산 같은 깊은 산속에 살았답니다. 호랑이는 먹이가 떨어지면 먹이를 찾아 종종 마을로 내려오기도 했습니다. 사람들은 힘세고 사나운 호랑이를 당해 낼 수가 없었기 때문에 호랑이를 두려워했고, 호랑이를 산에 사는 신으로 모시고 제사를 지내기도 했지요. 이렇듯 호랑이는 우리 조상들의 삶에 많은 영향을 끼쳤고, 그리하여 호랑이가 속담에 많이 등장하게 되었답니다.

2 관용어

관용어 총 120개 수록

관용어는 둘 이상의 낱말로 이루어져 있으면서 그 낱말들의 뜻만으로는 전체의 뜻을 알 수 없는, 특별한 뜻을 나타내는 말이에요. 원래의 낱말 뜻과는 다른 새로운 뜻으로 굳어진 비유적인 표현들이 많지요. 관용어를 활용하면 자신의 생각을 더욱 쉽게 표현할 수 있어요.

관용어 01

가슴

001 가슴에 *멍이 들다

뜻 마음속에 고통과 슬픔이 지울 수 없이 맺히다.

* 멍: 심하게 맞거나 부딪쳐서 살갗 속에 퍼렇게 맺힌 피.

002 가슴에 새기다

뜻 잊지 않게 단단히 마음에 기억하다.

003 가슴에 손을 얹다

뜻 *양심에 근거를 두다.

* 양심: 자신의 행위에 대하여 옳고 그름을 판단하고 바른 말과 행동을 하려는 마음.

004 가슴을 열다

뜻 속마음을 털어놓거나 받아들이다.

005 가슴(을) *태우다

뜻 몹시 걱정하다.

* 태우다: 마음이 안타깝거나 조마조마하여 몹시 조급해지다.

006 가슴이 넓다

뜻 *이해심이 많다.

* 이해심: 남의 사정을 잘 알아차리는 마음.

간

007 간에* 기별도 안 가다

뜻 먹은 것이 너무 적어 먹으나 마나 하다.

비슷한 말 간에 차지 않다

* **기별**: 다른 곳에 있는 사람에게 소식을 전함. 또는 소식을 적은 종이.

008 간을 꺼내어 주다

뜻 남의 기분을 맞추기 위해 중요한 것을 아낌없이 주다.

009 간(을) 빼 먹다

뜻 겉으로는 남의 기분을 맞추며 좋게 대하는 척하면서 중요한 것을 다 빼앗다.

010 간(이) 떨어지다

뜻 갑자기 아주 놀라다.

011 간(이) 크다

뜻 겁이 없고 매우 용감하다.

012 간이 콩알만 해지다

뜻 몹시 두려워지거나 무서워지다.

비슷한 말 간이 오그라들다

확인 문제

1~2 다음 그림에서 밑줄 그은 관용어의 뜻으로 알맞은 것에 ○표 하시오.

1

내 간식 몰래 먹었지? 가슴에 손을 얹고 말해 봐.

왜 나를 못 믿고 그래?

(1) 잊지 않다. ( )

(2) 양심에 근거를 두다. ( )

(3) 겁이 없고 용감하다. ( )

2

이렇게 적게 먹다니 간에 기별도 안 가겠다.

배가 별로 안 고파요.

(1) 마음이 아프고 힘들다. ( )

(2) 간 건강에 몹시 안 좋다. ( )

(3) 먹은 것이 너무 적어 먹으나 마나 하다. ( )

3~7 주어진 관용어의 뜻을 보고 □ 안에 알맞은 낱말을 쓰시오.

3

뜻 몹시 걱정하다.

예 나는 남모르게 가슴을 □□□가 겨우 잠이 들었다.

4

뜻 겁이 없고 매우 용감하다.

예 그 무서운 호랑이 선생님 앞에서 할 말을 다 하다니, 너 정말 □이 □구나.

5

뜻 몹시 두려워지거나 무서워지다.

예 내가 한 짓이 들통날까 봐 □이 □□만 해졌다.

6

뜻 속마음을 털어놓거나 받아들이다.

예 언제고 한번 인간 대 인간으로 □□을 □□ 이야기를 나누어 보자.

7

뜻 마음속에 고통과 슬픔이 지울 수 없이 맺히다.

예 친한 친구가 뒤에서 나를 욕했다는 소리를 듣고 가슴에 □이 들었다.

8~10 알맞은 관용어를 찾으시오.

8 다음 중 밑줄 그은 관용어의 쓰임이 알맞지 않은 것은 무엇입니까? (　　　　)

① 그 도둑은 대낮에 집을 털 만큼 간이 크다.
② 갑자기 큰 소리가 들려서 간을 빼 먹을 뻔했다.
③ 좋아하는 가수의 콘서트를 예매하지 못할까 봐 가슴을 태웠다.
④ 다른 사람을 무시하는 말은 듣는 사람의 가슴에 멍이 들게 한다.
⑤ 내 친구는 내가 종종 약속 시간을 어겨도 이해해 줄 만큼 가슴이 넓다.

9 ㉠에 공통으로 들어갈 낱말을 떠올려 빈칸에 쓰시오.

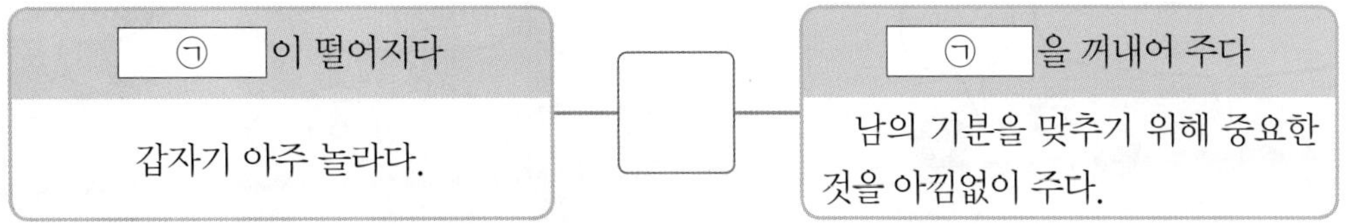

10 다음 대화에서 밑줄 그은 부분과 뜻이 통하는 관용어는 무엇입니까? (　　　　)

성민: 어제 봤던 영화의 마지막 부분에서 주인공이 한 말이 너무 감동적이었어.
지수: 맞아. 나는 눈물도 나더라. 앞으로 힘든 일이 있을 때마다 떠올릴 수 있도록 잊지 않고 단단히 마음에 기억할 거야.

① 가슴을 펴다　② 가슴을 열다　③ 가슴에 새기다
④ 가슴을 태우다　⑤ 가슴에 멍이 들다

11~12 주어진 관용어를 활용해 그림의 상황을 문장으로 표현하시오.

11

12

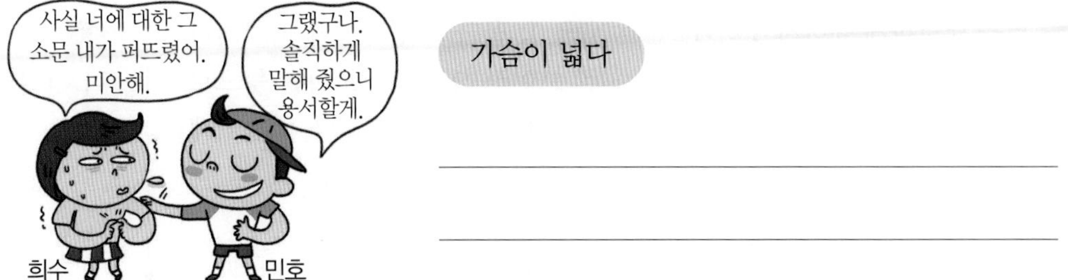

고개

013 고개(를) 꼬다

뜻 1. 이리저리 생각하면서 망설이느라고 고개를 이리저리 돌리다. 2. 믿지 않고 의심하여 고개를 이리저리 돌리다.

비슷한 말 고개를 비틀다

014 고개를 내밀다

뜻 세력, 감정 등이 나타나거나 생기다.

015 고개(를) 돌리다

뜻 어떤 사람, 일, 상황 등을 *외면하다.

* 외면하다: 똑바로 쳐다보지 않거나, 무엇을 받아들이지 않고 무시하다.

016 고개를 못 들다

뜻 남을 당당하게 대하지 못하다.

비슷한 말 얼굴을 못 들다

017 고개(를) 숙이다

뜻 1. 옳다고 생각하여 따르거나 잘 보이려 하거나 양보하는 뜻으로 남에게 머리를 수그리다. 2. *기세가 꺾이어 약해지다.

* 기세: 남에게 영향을 줄 만한 기운이나 태도.

018 고개(를) 흔들다

뜻 고개를 좌우로 움직여 *부정이나 거절의 뜻을 나타내다.

* 부정: 그렇지 않다고 판단하거나 옳지 않다고 반대함.

관용어
3주 2일

귀

019 귀(가) 따갑다

뜻 1. 소리가 날카롭고 커서 듣기에 괴롭다. 2. 너무 여러 번 들어서 듣기가 싫다.

비슷한 말 귀(가) 아프다

020 귀가 번쩍 뜨이다

뜻 들리는 말에 선뜻 마음이 끌리다.

021 귀가 얇다

뜻 남의 말을 쉽게 받아들인다.

비슷한 말 귀가 엷다

022 귀(를) 기울이다

뜻 남의 이야기나 의견에 관심을 가지고 주의를 집중하다.

비슷한 말 귀를 재다

023 귀에 들어가다

뜻 말이나 이야기가 누구에게 알려지다.

024 귀에 못*이 박히다

뜻 같은 말을 여러 번 듣다.

비슷한 말 귀에 딱지가 앉다, 귀에 싹이 나다

* 못: 주로 손바닥이나 발바닥에 생기는 단단하게 굳은 살.

확인 문제

1~3 다음 뜻에 알맞은 관용어를 서로 연결하시오.

1 들리는 말에 선뜻 마음이 끌리다. • • ㉮ 고개를 흔들다

2 세력, 감정 등이 나타나거나 생기나. • • ㉯ 고개를 내밀다

3 고개를 좌우로 움직여 부정이나 거절의 뜻을 나타내다. • • ㉰ 귀가 번쩍 뜨이다

4~8 밑줄 그은 관용어와 바꾸어 쓸 수 있는 말이면 ○표, 아니면 ×표 하시오.

4 나는 선생님 말씀에 내 잘못을 깨닫고 <u>고개를 숙였다</u>.

→ 당당하게 행동했다 (　　　)

5 선호가 나를 좋아한다는 소문이 우리 반 <u>친구들 귀에 들어갔다</u>.

→ 친구들에게 알려졌다 (　　　)

6 경태는 내가 시시한 소리를 해도 항상 <u>귀를 기울여 주는</u> 친구다.

→ 무시하는 (　　　)

7 의사는 어떠한 상황에서도 위급한 환자가 있을 때 <u>고개를 돌리면</u> 안 된다.

→ 외면하면 (　　　)

8 모둠 장기 자랑에서 춤을 추자는 내 의견에 친구들은 <u>고개를 꼬기만 했다</u>.

→ 좋다고 끄덕였다 (　　　)

9~11 알맞은 관용어를 찾으시오.

9 ㉠~㉣ 중 빈칸에 들어갈 낱말이 다른 것을 찾아 기호를 쓰시오.

㉠ 우리는 [ ]을/를 통해 소리를 듣는다.
㉡ 내 동생은 [ ]이/가 얇아서 결정을 잘 내리지 못한다.
㉢ 나는 어제 내가 했던 거짓말을 들킬까 봐 계속 [ ]을/를 태웠다.
㉣ 어머니는 나에게 거짓말을 하지 말라고 [ ]에 못이 박히도록 말씀하셨다.

( )

10 다음 두 가지 상황에 모두 쓸 수 있는 관용어를 찾아 ○표 하시오.

• 친구가 이야기를 하고 있는데 목소리가 매우 클 때
• 이미 여러 번 들어서 듣기가 싫을 때

(1) 귀가 얇다 ( )
(2) 귀가 따갑다 ( )
(3) 귀가 번쩍 뜨이다 ( )

11 다음 글에서 밑줄 그은 부분과 뜻이 통하는 관용어는 무엇입니까? ( )

이순신 장군을 헐뜯고 원균을*통제사로 삼자고 주장하던 사람들은 원균이 싸움에서 졌다는 소식을 듣자 얼굴을 들지 못했다.

* **통제사**: 조선 시대에 수군을 통솔하던 벼슬.

① 고개를 꼬다
② 귀가 따갑다
③ 귀에 못이 박히다
④ 고개를 들지 못하다
⑤ 고개를 숙이지 못하다

12 주어진 관용어를 활용해 그림의 상황을 문장으로 표현하시오.

12

귀가 번쩍 뜨이다

관용어 03

꼬리

025 꼬리(가) 길다

뜻 1. 못된 짓을 오래 두고 계속하다. 2. 방문을 닫지 않고 드나들다.

026 꼬리(를) 감추다

뜻 *자취를 감추다.

비슷한 말 꼬리를 숨기다

* 자취: 남아 있는 흔적.

027 꼬리(를) 내리다

뜻 1. 상대편에게 기세가 꺾여 물러서거나 움츠러들다. 2. 싸움이나 경쟁에서 지다.

028 꼬리(를) 밟히다

뜻 행동한 흔적을 들키다.

029 꼬리에 꼬리를 물다

뜻 계속 이어지다.

비슷한 말 꼬리를 물다

030 꽁무니(를) 빼다

뜻 슬그머니 피하여 물러나다.

관용어
3주 3일

눈

031 눈 깜짝할 사이

뜻 매우 짧은 순간.

032 눈(에) 띄다

뜻 두드러지게 드러나다.

033 눈(에) 어리다

뜻 어떤 모습이 잊히지 않고 머릿속에 뚜렷하게 떠오르다.

034 눈(을) 돌리다

뜻 관심을 돌리다.

035 눈(이) 높다

뜻 1. 정도 이상의 좋은 것만 찾는 버릇이 있다. 2. *안목이 높다.

036 눈이 번쩍 뜨이다

뜻 정신이 갑자기 들다.

* **안목**: 사물의 가치를 판단하거나 분별하는 능력.

확인 문제

1~3 **다음 뜻에 해당하는 관용어를 보기에서 찾아 쓰시오.**

보기
- 꼬리가 길다
- 꽁무니를 빼다
- 눈 깜짝할 사이

1 매우 짧은 순간.
→ (　　　　　　　　　　　　　　　　)

2 슬그머니 피하여 물러나다.
→ (　　　　　　　　　　　　　　　　)

3 못된 짓을 오래 두고 계속하다.
→ (　　　　　　　　　　　　　　　　)

4~7 **빈칸에 들어갈 알맞은 관용어를 보기에서 찾아 쓰시오.**

보기
- 눈에 띈다
- 눈이 높다
- 꼬리를 내렸다
- 눈이 번쩍 뜨였다

4 이란이 영국과의 축구 대결에서 5 대 0으로 (　　　　　　　　　　　　　　　　).

5 꾸벅꾸벅 졸다가 이마를 책상에 부딪혔더니 (　　　　　　　　　　　　　　　　).

6 현수는 키가 무척 커서 어디에 서 있든 항상 (　　　　　　　　　　　　　　　　).

7 형은 웬만한 물건은 마음에 들어 하지 않을 만큼 (　　　　　　　　　　　　　　　　).

8~10 알맞은 관용어를 찾으시오.

8 다음 빈칸에 공통으로 들어갈 낱말로 알맞은 것은 무엇입니까? (　　　　)

> • 거짓말을 밥 먹듯이 하더니, [　　　　]이/가 길면 잡히는 법이다.
> • 드라마에서 범인은 자신의 집을 찾아갔다가 형사에게 [　　　　]을/를 밟혔다.

① 키　　② 몸　　③ 꼬리
④ 가슴　　⑤ 다리

9 밑줄 그은 관용어의 쓰임이 알맞지 않은 것에 ×표 하시오.

(1) 엄마는 코가 높아서 좋은 제품만 잘 고르신다. (　　　　)
(2) 나는 자다가도 눈이 번쩍 뜨일 만큼 치킨을 좋아한다. (　　　　)
(3) 어릴 때 키웠던 강아지가 지금도 가끔 눈에 어릴 때가 있다. (　　　　)

10 다음 글에서 밑줄 그은 부분과 뜻이 통하는 관용어는 무엇입니까? (　　　　)

> 어제 텔레비전 토론 프로그램에 나온 교수는 우리가 지구촌 환경 문제로 관심을 돌려야 할 때라고 말하며 이미 충분히 늦었다고 경고했다.

① 눈을 돌려야　　② 고개를 돌려야
③ 한숨을 돌려야　　④ 꼬리를 내려야
⑤ 꼬리를 감춰야

11~12 주어진 관용어를 활용해 그림의 상황을 문장으로 표현하시오.

11

선아한테 들었는데 글쎄…….
우석아, 내가 지수한테 들었는데…….

꼬리에 꼬리를 물다

____

____

12

너무 맛있어서 정신없이 먹었어.
나 한 숟가락 먹을 사이에 다 먹었네?
민수
현주

눈 깜짝할 사이

____

____

관용어
3주 3일

마음

037 마음(을) 붙이다

뜻 어떤 것에 마음을 자리 잡게 하거나 한 가지 일에만 마음을 쓰다.

038 마음(을) 주다

뜻 마음을 숨기지 않고 기쁘게 내보이다.

039 마음에 차다

뜻 더 바랄 게 없을 만큼 마음에 들어 기분 좋게 여기다.

040 마음이 굴뚝같다

뜻 무엇을 간절히 하고 싶거나 원하다.

041 마음이 통하다

뜻 서로 생각이 같아 이해가 잘 되다.

042 마음이 풀리다

뜻 **1.** 마음속에 맺히거나 틀어졌던 것이 없어지다. **2.** 긴장하였던 마음이 약해지다.

머리

043 머리(를) 굴리다

뜻 깊이 생각해서 해결 방안을 찾아내다.

044 머리(를) 내밀다

뜻 어떤 자리에 모습을 나타내다.

045 머리(를) 맞대다

뜻 어떤 일을 의논하거나 결정하기 위하여 서로 마주 대하다.

046 머리(를) 숙이다

뜻 1. *굴복하거나 굽실거리는 낮은 자세를 보이다. 2. 마음속으로 감탄하여 옳다고 인정하거나 존경의 뜻을 나타내다.

* **굴복**: 남의 힘에 눌려서 자기의 주장이나 뜻을 굽히고 복종하는 것.

047 머리(를) 식히다

뜻 흥분되거나 긴장된 마음을 가라앉히다.

048 머리 위에 앉다

뜻 1. 상대방의 생각이나 행동을 꿰뚫다. 2. 잘난 체하며 남을 무시하다.

비슷한 말 머리 꼭대기에 올라앉다

확인 문제

1~2 **다음 그림에서 밑줄 그은 관용어의 뜻으로 알맞은 것에 ○표 하시오.**

1

(1) 배가 부르다. ( )
(2) 매우 자고 싶다. ( )
(3) 감기가 다 낫다. ( )

2

(1) 우리를 좋아하다. ( )
(2) 우리를 매우 두려워하다. ( )
(3) 잘난 체하며 우리를 무시하다. ( )

3~7 **밑줄 그은 관용어의 알맞은 뜻을 보기 에서 찾아 기호를 쓰시오.**

보기

㉮ 어떤 자리에 모습을 나타내다.
㉯ 서로 생각이 같아 이해가 잘 되다.
㉰ 마음을 숨기지 않고 기쁘게 내보이다.
㉱ 흥분되거나 긴장된 마음을 가라앉히다.
㉲ 굴복하거나 굽실거리는 낮은 자세를 보이다.

3 머리를 식히기 위해 집 앞 공원에 나갔다.
→ 머리를 식히다 ( )

4 현우가 비를 맞은 채로 교실에 머리를 내밀었다.
→ 머리를 내밀다 ( )

5 수희는 나와 마음이 통하는 사이라 길게 설명하지 않아도 된다.
→ 마음이 통하다 ( )

6 내 비밀을 말해 주었으니 이제는 나에게 마음을 줄 때도 되지 않았니?
→ 마음을 주다 ( )

7 원래 더 아쉬운 쪽이 먼저 머리를 숙이고 들어가는 법이니 어쩔 수 없다.
→ 머리를 숙이다 ( )

8~10 알맞은 관용어를 찾으시오.

8 밑줄 그은 관용어의 쓰임이 알맞지 않은 것에 ×표 하시오.

(1) 내 사과를 받고 친구의 마음이 풀려서 우리는 다시 친해졌다. (　　)

(2) 엄마는 형의 시험 점수가 마음에 차는 듯 얼굴을 찡그리셨다. (　　)

(3) 음식을 앞에 두고 손님을 기다리고 있자니 먹고 싶은 마음이 굴뚝같았다. (　　)

9 다음 빈칸에 공통으로 들어갈 낱말로 알맞은 것은 무엇입니까? (　　)

- 이 편지에 우표를 [　　] 우체국에 가서 편지를 부치렴.
- 이제 그만 공부에 마음 [　　] 수업을 열심히 듣는 게 어떠니?

① 잡고　② 그리고　③ 붙이고
④ 굴리고　⑤ 식히고

10 다음 글에서 밑줄 그은 부분과 뜻이 통하는 관용어는 무엇입니까? (　　)

친구 집에 놀러 가서 게임을 하는데 갑자기 게임기가 작동하지 않았다. 친구와 나는 고칠 방법이 없는지 함께 깊이 생각해서 해결 방안을 찾아보았다.

① 머리를 굴리다　② 머리를 숙이다　③ 머리를 흔들다
④ 머리를 식히다　⑤ 머리를 내밀다

11~12 주어진 관용어를 활용해 그림의 상황을 문장으로 표현하시오.

11

머리를 맞대다

____

____

12

마음에 차다

____

____

목구멍, 목

049 목구멍까지 차오르다

뜻 분노, 욕망, *충동 등이 참을 수 없는 정도가 되다.

비슷한 말 목구멍까지 치밀어 오르다

* 충동: 어떤 행동을 하고자 하는 마음이 갑자기 세게 일어나는 상태.

050 목구멍의 때(를) 벗기다

뜻 배부르게 먹다.

051 목에 거미줄 치다

뜻 가난하여 아무것도 먹지 못하는 상황이 되다.

052 목에 힘을 주다

뜻 잘난 척을 하면서 남을 얕잡아 보는 태도를 보이다.

053 목(이) 타다

뜻 심하게 *갈증을 느끼다.

* 갈증: 목이 말라 물을 마시고 싶은 느낌.

054 목이 빠지게 기다리다

뜻 몹시 안타깝게 기다리다.

물

055 물 건너가다

뜻 일이나 상황이 이미 끝나버려서 문제를 해결할 수 없다.

056 물과 기름

뜻 서로 어울리지 못하여 *겉도는 사이.

비슷한 말 물 위의 기름

* **겉도는**: 다른 사람과 잘 어울리지 못하고 따로 지내는.

057 물로 보다

뜻 사람을 *하찮게 보거나 쉽게 생각하다.

* **하찮게**: 그다지 훌륭하거나 중요하지 않게.

058 물 만난 고기

뜻 어려운 상황에서 벗어나 활발히 활동할 만한 좋은 상황을 만난 처지를 뜻하는 말.

비슷한 말 물 얻은 고기

059 물을 끼얹은 듯

뜻 많은 사람이 갑자기 조용해지거나 진지해지는 모양을 뜻하는 말.

비슷한 말 물 뿌린 듯이

060 물 쓰듯

뜻 물건을 헤프게 쓰거나, 돈 등을 *흥청망청 낭비하다.

* **흥청망청**: 돈이나 물건 등을 마구 쓰는 모양.

관용어 3주 5일

확인 문제

1~3 다음 뜻에 알맞은 관용어를 서로 연결하시오.

1 몹시 안타깝게 기다리다. • 　　　• ㉮ 물 건너가다

2 잘난 척을 하면서 남을 얕잡아 보는 태도를 보이다. • 　　　• ㉯ 목에 힘을 주다

3 일이나 상황이 이미 끝나버려서 문제를 해결할 수 없다. • 　　　• ㉰ 목이 빠지게 기다리다

4~8 주어진 관용어의 뜻을 보고 □ 안에 알맞은 낱말을 쓰시오.

4 뜻 배부르게 먹다.

예 옛날 사람들은 자신의 생일에나 배불리 먹으며 □□□의 □를 벗기곤 했다.

5 뜻 분노, 욕망, 충동 등이 참을 수 없는 정도가 되다.

예 나는 □□□까지 차오르는 분노를 꾹 참았다.

6 뜻 가난하여 아무것도 먹지 못하는 상황이 되다.

예 부모님께서는 이렇게 장사가 안 되면 □에 □□□ 치게 되는 건 아닐까 걱정을 하셨다.

7 뜻 많은 사람이 갑자기 조용해지거나 진지해지는 모양을 뜻하는 말.

예 선생님의 호통 소리에 교실이 □을 □□□ 듯 조용해졌다.

8 뜻 어려운 상황에서 벗어나 활발히 활동할 만한 좋은 상황을 만난 처지를 뜻하는 말.

예 휘윤이는 외국으로 떠나기 직전 □ 만난 □□처럼 발랄한 모습으로 친구들을 대했다.

9~11 알맞은 관용어를 찾으시오.

9 다음 중 밑줄 그은 관용어의 쓰임이 알맞지 않은 것은 무엇입니까? (　　　)

① 땀을 많이 흘렸더니 목이 탄다.
② 삼촌은 평소에 돈을 물 쓰듯 펑펑 쓰고 다닌다.
③ 갑자기 울리는 사이렌 소리에 교실은 물을 끼얹은 듯 시끄러워졌다.
④ 그 친구는 나를 물로 보는지, 매번 만날 때마다 내 말을 무시하며 못 들은 척했다.
⑤ 내 동생은 내가 학교에서 언제 돌아오는지 동네 입구까지 나와서 목이 빠지게 기다리곤 한다.

관용어

3주 5일

10 다음 (　　) 안에서 알맞은 표현을 골라 ○표 하시오.

(1) 이렇게 부지런히 일하는데 설마 목에 (기름, 거미줄) 치랴.
(2) 나는 (물과 기름, 불과 기름)처럼 친구들과 어울리지 못했다.
(3) 그 문제는 이미 (물 부족한, 물 건너간) 일이니 자꾸 생각해 봤자 아무 소용없다.
(4) 부모님이 부자라고 해도 다른 이들 앞에서 목에 (힘을 주면, 주름을 그리면) 안 된다.

11 다음 글에서 밑줄 그은 부분과 뜻이 통하는 관용어는 무엇입니까? (　　　)

> 영국에서 전학을 온 마이클은 우리나라 역사에 대해 토론할 때는 한마디도 못하지만, 자신이 좋아하는 우주 분야에 대한 이야기가 나오면 활발하게 자신의 생각을 말한다.

① 목이 타다　　② 물 만난 고기
③ 물을 끼얹은 듯　　④ 목에 거미줄 치다
⑤ 목이 빠지게 기다리다

12 주어진 관용어를 활용해 그림의 상황을 문장으로 표현하시오.

12

목이 빠지게 기다리다

____

____

3주

마무리

그림의 상황에 알맞은 관용어를 떠올려 □ 안에 알맞은 낱말을 쓰시오.

10

내가 그린 그림 어때?

이걸 그림이라고 그렸어? 나 까다로워.

눈이 □다

11

오늘 점심은 돈가스래!

조금 전까지 졸더니 정신이 갑자기 드나 봐.

정말?

□이 □□ 뜨이다

12

할머니, 도와드릴게요.

나도 도와 드리려고 했는데, 생각이 같았네.

□□이 □하다

13

생각해 봤는데 내가 잘못했어. 정말 미안해.

네 말에 서운한 마음이 없어졌어.

□□이 □리다

14

날쌘 금붕어가 골키퍼를 맡자.

서로 마주 대해서 의논하니 좋구나.

□□를 □대다

15

학원 안 가고 금붕어와 놀았지? 엄마는 네 행동을 꿰뚫고 있어.

잉어가 학원에 안 왔다구요?

그걸 어떻게……

□□ 위에 □다

16

목…… 목이 너무 말라. 물, 물!

저기 물이 보여!

목이 □다

17

눈이 왔다! 이제 내 세상이야!

눈에서 활발히 놀게 돼서 신이 났구나.

하하하

□ 만난 □□

18

모두 조용! 영철이가 병원에 입원했단다.

모두 갑자기 조용해졌어.

조~용

□을 □□은 듯

발

061 발 벗고 나서다

뜻 자기 일처럼 열심히 하다.

비슷한 말 맨발(을) 벗고 나서다

062 발(을)* 구르다

뜻 매우 안타까워하거나 다급해하다.

* **구르다**: 선 자리에서 발로 바닥을 힘주어 치다.

063 발(을) 빼다

뜻 어떤 일에서 관계를 완전히 끊고 물러나다.

비슷한 말 발을 씻다

064 발이 넓다

뜻 사귀거나 알고 지내는 사람이 많아 활동하는 범위가 넓다.

비슷한 말 발이 너르다

065 발(이) 묶이다

뜻 몸을 움직일 수 없거나 활동할 수 없는 상황이 되다.

066 발(이) 빠르다

뜻 알맞은 대책을 매우 빠르게 정하여 행동하다.

불, 빛

067 불꽃(이) 튀다

뜻 1. 매우 강렬하게 마주 겨루다. 2. 격한 감정이 눈에 드러나다.

068 불똥(이) 튀다

뜻 사건이나 말썽이 전혀 관계가 없는 사람에게 번져 곤란하게 되다.

069 불(을) 보듯 뻔하다

뜻 앞으로 일어날 일이 의심할 데가 없이 아주 분명하다.

비슷한 말 불을 보듯 훤하다, 명약관화(明 밝을 명, 若 같을 약, 觀 볼 관, 火 불 화)

070 불이 나다

뜻 1. 뜻밖에 몹시 화가 나는 일을 당하여 감정이 격해지다. 2. 몹시 긴장하거나 머리를 얻어맞거나 하여 눈에 불이 나는 듯하다.

071 빛을 발하다*

뜻 제 능력이 값어치를 드러내다.

* 발하다: 빛, 소리, 냄새, 열, 기운, 감정 등이 일어나다. 또는 그렇게 되게 하다.

072 빛을 보다

뜻 세상에 알려지고 인정받다.

확인 문제

1~4 다음 뜻에 해당하는 관용어를 보기에서 찾아 쓰시오.

보기
- 발이 빠르다
- 불꽃이 튀다
- 발을 구르다
- 발이 묶이다

1 매우 안타까워하거나 다급해하다.
→ (   )

2 매우 강렬하게 마주 겨루다.
→ (   )

3 알맞은 대책을 매우 빠르게 정하여 행동하다.
→ (   )

4 몸을 움직일 수 없거나 활동할 수 없는 상황이 되다.
→ (   )

5~8 빈칸에 들어갈 알맞은 관용어를 보기에서 찾아 쓰시오.

보기
- 불이 났다
- 발이 넓다
- 빛을 발했다
- 불 보듯 뻔한 일이다

5 내 친구는 학생회 활동을 몇 년이나 해서인지 무척 (   ).

6 공부를 전혀 하지 않는 우리 형의 성적이 떨어지는 것은 (   ).

7 우리 강아지가 옆집 큰 개에게 물리는 모습을 보자 눈에서 (   ).

8 박자 감각이 좋은 내 친구는 드럼을 배울 때에도 그 재능이 (   ).

9~11 알맞은 관용어를 찾으시오.

9 다음 중 밑줄 그은 관용어의 쓰임이 알맞지 않은 것은 무엇입니까? (　　　)

① 그는 그 일과 깊이 관련되어 있어서 발을 빼기가 어렵다.
② 약속 시간에 늦은 나는 발을 동동 구르며 버스를 기다렸다.
③ 우리 누나는 이웃에 어려운 일이 있으면 발 벗고 나서서 도와준다.
④ 오늘은 엄마의 기분이 매우 안 좋으시니 우리에게도 불똥이 튀지 않게 조심하자.
⑤ 우리의 역사를 보면 변화에 발 묶이게 움직여야만 살아남는다는 사실을 알 수 있다.

10 다음 빈칸에 공통으로 들어갈 낱말로 알맞은 것은 무엇입니까? (　　　)

> • 아침이 되자 밝은 [　　　]이 내 방으로 들어왔다.
> • 축구에 대한 내 재능이 [　　　]을 보게 된 것은 훌륭한 선생님을 만났기 때문이다.

① 빛　② 불　③ 발
④ 불똥　⑤ 불꽃

11 다음 글에서 밑줄 그은 부분과 바꾸어 쓸 수 있는 관용어는 무엇입니까? (　　　)

> 우리 가족은 제주도로 놀러 갔다가 갑작스러운 태풍으로 인해 관광지는커녕 숙소에서만 지냈다.

① 발을 뺐다　② 발이 묶였다
③ 발이 빨랐다　④ 빛을 발했다
⑤ 발 벗고 나섰다

12 주어진 관용어를 활용해 그림의 상황을 문장으로 표현하시오.

12

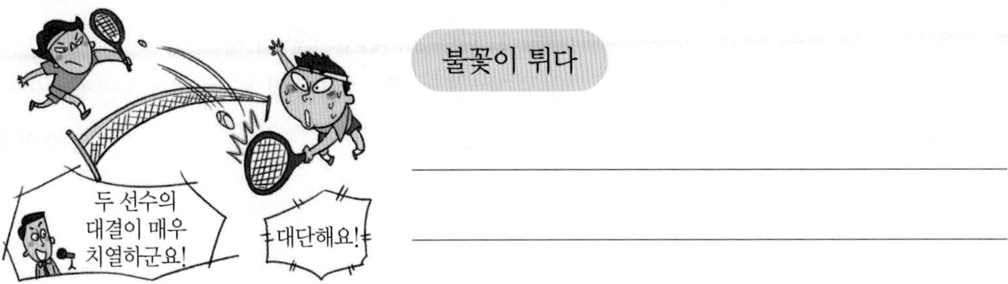

배, 배꼽

073 배가 등에 붙다

뜻 먹은 것이 없어서 배가 홀쭉하고 몹시 배고프다.

반대말 배에 기름이 지다

074 배(가) 아프다

뜻 남이 잘되는 것에 심술이 나고 속이 편하지 않다.

075 배(를) 두드리다

뜻 생활이 넉넉하여 부족함이 없어서 편안하고 즐겁게 지내다.

076 배(를)* 불리다

뜻 돈이나 값나가는 물건, 또는 여러 이익을 많이 차지하여 자신의 욕심을 채우다.

비슷한 말 배를 채우다

* **불리다**: 분량이나 수가 많아지게 하다.

077 배(를) 내밀다

뜻 1. 다른 사람의 요구에 따르지 않고 버티다. 2. 자기밖에 없는 듯 몹시 자랑하며 뽐내다.

078 배꼽(을) 쥐다

뜻 너무 우스워 참지 못하고 배를 움켜쥔 채 크게 웃다.

비슷한 말 배꼽을 잡다

손

079 *손꼽아 기다리다

뜻 기대에 차 있거나 안타까운 마음으로 날짜를 꼽으며 기다리다.

* **손꼽아**: 손가락을 하나씩 구부리며 수를 헤아려.

080 손발(이) 맞다

뜻 함께 일을 하는 데에 마음이나 의견, 행동 방식 등이 서로 맞다.

반대말 손발이 따로 놀다

081 손(을) 내밀다

뜻 1. 무엇을 달라고 요구하거나 *구걸하다. 2. 도움, 간섭 등의 행동이 어떤 곳에 닿게 하다. 3. 친하려고 나서다.

* **구걸하다**: 남에게 돈, 먹을 것 등을 거저 달라고 하다.

082 손(을) 떼다

뜻 1. 하던 일을 그만두다. 2. 하던 일을 끝마치고 다시 손대지 않다.

083 손(이) 맵다

뜻 1. 손으로 슬쩍 때려도 몹시 아프다. 2. 일하는 것이 빈틈없고 매우 *야무지다.

비슷한 말 손끝이 맵다

* **야무지다**: 똑똑하고 단단하며 빈틈없다.

084 손(이) 크다

뜻 돈이나 물건 혹은 마음 등을 쓰는 정도가 너그럽고 크다.

비슷한 말 손이 *걸다

반대말 손이 작다

* **걸다**: 종류가 많고 푸짐하다.

확인 문제

1~2 다음 그림에서 밑줄 그은 관용어의 뜻으로 알맞은 것에 ○표 하시오.

1

(1) 배탈이 나다. ( )
(2) 살이 하나도 빠지지 않다. ( )
(3) 배가 홀쭉하고 몹시 배고프다. ( )

2

(1) 먹는 것을 좋아하다. ( )
(2) 다른 사람보다 손 크기가 크다. ( )
(3) 물건 등을 쓰는 정도가 너그럽고 크다. ( )

3~7 밑줄 그은 관용어의 알맞은 뜻을 보기에서 찾아 기호를 쓰시오.

보기

㉮ 친하려고 나서다.
㉯ 남이 잘되는 것에 심술이 나고 속이 편하지 않다.
㉰ 생활이 넉넉하여 부족함이 없어서 편안하고 즐겁게 지내다.
㉱ 함께 일을 하는 데에 마음이나 의견, 행동 방식 등이 서로 맞다.
㉲ 돈이나 값나가는 물건, 또는 여러 이익을 많이 차지하여 자신의 욕심을 채우다.

3 준수가 영어 말하기 대회에서 상을 받는 모습을 보니 배가 아팠다.
→ 배가 아프다 ( )

4 부모님께서 고생하신 덕분에 우리 가족은 배를 두드리며 살 수 있었다.
→ 배를 두드리다 ( )

5 우리 아빠와 삼촌은 손발이 잘 맞아서 둘이 함께하는 일마다 성공을 했다.
→ 손발이 맞다 ( )

6 경난이가 외롭던 내게 먼저 손을 내밀어 다가와 준 뒤로 우리는 금세 친해졌다.
→ 손을 내밀다 ( )

7 주인공은 가난한 주변 사람들을 돌보지 않고 자기 배를 불리며 점점 악당이 되어 갔다.
→ 배를 불리다 ( )

8~10 알맞은 관용어를 찾으시오.

8 다음 (　　) 안에서 알맞은 표현을 골라 ○표 하시오.

(1) 배우의 우스꽝스러운 연기에 우리는 (손끝, 배꼽)을 쥐었다.
(2) 요즘 너무 바빠져서 학급 신문 만드는 일에서 손을 (뗐다, 올렸다).
(3) 우리 고모는 가난했던 시절을 다 보내고 지금은 (배, 머리)를 두드리며 사신다.

9 다음 빈칸에 공통으로 들어갈 낱말로 알맞은 것은 무엇입니까? (　　　)

- 내 동생은 뻔뻔하게 내 잔소리는 들리지 않는 척 배를 [　　　].
- 조선은 일본을 멀리하기 위해 러시아에 손을 [　　　].

① 잡았다　② 그렸다　③ 접었다
④ 두드렸다　⑤ 내밀었다

10 다음 글에서 밑줄 그은 부분과 바꾸어 쓸 수 있는 관용어는 무엇입니까? (　　　)

텔레비전에서 본 발레가 멋있어 보여서 발레 학원을 다녔는데, 너무 힘들고 재미가 없어서 <u>그만 두었다</u>. 끈기 있게 배우지 못한다며 엄마께 잔소리를 들었다.

① 손을 뗐다　② 손이 매웠다　③ 배를 불렸다
④ 배꼽을 쥐었다　⑤ 배를 두드렸다

11~12 주어진 관용어를 활용해 그림의 상황을 문장으로 표현하시오.

11

손이 맵다

____

____

12

손꼽아 기다리다

____

____

어깨

085 어깨가 무겁다

뜻 힘겹고 중요한 일을 맡아 *부담스럽다.

반대말 어깨가 가볍다

* **부담스럽다**: 느끼기에 힘들고 곤란하다.

086 어깨를 *겨루다

뜻 서로 비슷한 지위나 힘을 가지다.

비슷한 말 어깨를 겨누다, 어깨를 견주다

* **겨루다**: 서로 버티어 승부를 다투다.

087 어깨에 힘(을) 주다

뜻 잘난 척하면서 남을 얕잡아 보는 태도를 보이다.

088 어깨가 처지다

뜻 바라던 일이 이루어지지 않아 마음이 상하여 활기나 기운이 없어지다.

비슷한 말 어깨가 낮아지다, 어깨가 늘어지다

089 어깨를 펴다

뜻 굽힐 것이 없이 당당하다.

반대말 어깨가 *움츠러들다

* **움츠러들다**: 몸이나 몸의 일부가 몹시 오그라져 들어가거나 작아지다.

090 어깨가 올라가다

뜻 칭찬을 받거나 하여 자랑스러운 마음이 들다.

관용어

4주 3일

입

091 입만 살다

뜻 1. 행동은 하지 않고 말만 그럴듯하게 잘하다. 2. 어울리지 않게 음식을 가려 먹다.

092 입만 아프다

뜻 여러 번 말하여도 상대방이 받아들이지 않아서 말한 보람이 없다.

093 입(을) 막다

뜻 시끄러운 소리나 자기에게 이롭지 않은 말을 하지 못하게 하다.

094 입(을) 맞추다*

뜻 서로의 말이 같아지도록 하다.

095 입(을) 모으다

뜻 여러 사람이 같은 말을 하다.

096 입이 귀밑까지 찢어지다

뜻 기쁘거나 즐거워 입이 크게 벌어지다.

비슷한 말 입이 귀밑까지 이르다, 입이 가로 째지다

* 맞추다: 서로 어긋남이 없이 조화를 이루다.

확인 문제

1~3 다음 뜻에 해당하는 관용어를 보기에서 찾아 쓰시오.

보기
- 입을 맞추다
- 어깨가 무겁다
- 어깨가 처지다

1 서로의 말이 같아지도록 하다.
→ (   )

2 힘겹고 중요한 일을 맡아 부담스럽다.
→ (   )

3 바라던 일이 이루어지지 않아 마음이 상하여 활기나 기운이 없어지다.
→ (   )

4~8 밑줄 그은 관용어와 바꾸어 쓸 수 있는 말이면 ○표, 아니면 ×표 하시오.

4 회장으로 뽑혔다고 너무 <u>어깨에 힘을 주는</u> 것 아냐?
→ 잘난 척하는 (   )

5 무리한 다이어트는 건강을 해친다고 의사들은 <u>입을 모아</u> 이야기한다.
→ 신중하게 (   )

6 선생님께서 잘 그린 그림이라고 칭찬해 주셔서 성호는 <u>어깨가 올라갔다</u>.
→ 만족스럽지 않았다 (   )

7 다른 것은 모두 나보다 형이 잘하지만, 축구는 나와 형이 <u>어깨를 겨룬다</u>.
→ 비슷한 실력이다 (   )

8 학원에 안 간 것을 동생이 부모님께 말할까 봐 장난감을 주며 <u>동생의 입을 막았다</u>.
→ 동생이 말을 못하도록 했다 (   )

9~11 알맞은 관용어를 찾으시오.

9 **밑줄 그은 관용어의 쓰임이 알맞지 않은 것에 ×표 하시오.**

(1) 처음으로 회장을 맡게 된 현우는 <u>어깨가 무거웠다</u>. (　　　)

(2) 지민이는 국제 수영 대회에서 유명한 선수들과 <u>어깨를 겨뤘다</u>. (　　　)

(3) 장난을 치다 그릇을 깬 동생이 엄마께 혼이 나고 <u>어깨가 올라간</u> 모습을 보였다. (　　　)

(4) 토론을 할 때에는 맞고 틀린 것이 없으니 <u>어깨를 펴고</u> 자신의 생각을 또박또박 말하는 것이 좋다. (　　　)

관용어

4주 3일

10 **다음 두 가지 상황에 모두 쓸 수 있는 관용어를 찾아 ○표 하시오.**

• 행동은 하지 않고 말만 그럴듯하게 잘할 때
• 어울리지 않게 음식을 가려 먹을 때

(1) 입만 살다 (　　　)
(2) 어깨를 펴다 (　　　)
(3) 입을 모으다 (　　　)

11 **다음 대화에서 밑줄 그은 부분과 뜻이 통하는 관용어는 무엇입니까? (　　　)**

엄마: 엄마가 항상 자기 자리는 자기가 치우자고 그렇게 얘기했는데도 이 모양이니! <u>매번 말해도 아무 소용없으니</u> 그만두자.
성호: 잘못했어요. 바로 청소할게요.

① 입을 막다
② 입을 맞추다
③ 입만 아프다
④ 입을 모으다
⑤ 입이 귀밑까지 찢어지다

12 주어진 관용어를 활용해 그림의 상황을 문장으로 표현하시오.

12

입이 귀밑까지 찢어지다

관용어 09

코

097 코가 꿰이다

뜻 *약점이 잡히다.

* 약점: 모자라서 남에게 뒤떨어지거나 떳떳하지 못한 점.

098 코가 땅에 닿다

뜻 머리를 깊이 숙이다.

099 *콧대(가) 높다

뜻 잘난 체하고 뽐내는 태도가 있다.

비슷한 말 코가 높다

* 콧대: 콧등의 우뚝한 줄기.

100 *코웃음(을) 치다

뜻 남을 깔보고 비웃다.

* 코웃음: 콧소리를 내거나 코끝으로 가볍게 웃는 비난조의 웃음.

101 코가 납작해지다

뜻 몹시 창피를 당하거나 기가 죽어 *체면이 뚝 떨어지다.

반대말 코가 솟다

* 체면: 남을 대하기에 떳떳한 태도나 입장.

102 콧등이 *시큰하다

뜻 어떤 일에 감격하거나 슬퍼서 눈물이 나오려 하다.

* 시큰하다: 뼈의 마디가 매우 저리고 시다.

피

103 피(가) 끓다

뜻 1. 기분이나 감정 등이 세게 솟아오르다. 2. 젊고 매우 활발하며 기운차다.

104 피가 되고 살이 되다

뜻 큰 도움이 되다.

105 피도 눈물도 없다

뜻 남을 생각하는 따뜻한 마음이 조금도 없다.

* 탐관오리: 재물에 대한 욕심이 많고 행실이 깨끗하지 못한 벼슬아치.

106 피를 *말리다

뜻 몹시 괴롭거나 애가 타게 만들다.

* 말리다: 물기가 다 날아가서 없어지게 하다.

107 피를 보다

뜻 1. 싸움으로 피를 흘리는 사태가 벌어져 *사상자를 내다. 2. 크게 곤란한 일을 당하거나 손해를 보다.

* 사상자: 죽거나 다친 사람.

108 피를 빨아먹다

뜻 남이 가진 것을 억지로 빼앗아 가지다.

확인 문제

1~3 다음 뜻에 알맞은 관용어를 서로 연결하시오.

1	약점이 잡히다.	㉮	피를 말리다
2	머리를 깊이 숙이다.	㉯	코가 꿰이다
3	몹시 괴롭거나 애가 타게 만들다.	㉰	코가 땅에 닿다

4~8 주어진 관용어의 뜻을 보고 □ 안에 알맞은 낱말을 쓰시오.

4 뜻 남을 깔보고 비웃다.

예 나는 나를 얕보는 친구의 말에 □□□을 쳤다.

5 뜻 기분이나 감정 등이 세게 솟아오르다.

예 축구 경기에서 우리나라가 역전을 당해 지게 된 모습을 보니 피가 □□ 것 같았다.

6 뜻 크게 곤란한 일을 당하거나 손해를 보다.

예 우리 가족은 잘 알아보지 않고 사업에 투자를 했다가 □를 본 적이 있다.

7 뜻 남을 생각하는 따뜻한 마음이 조금도 없다.

예 텔레비전 뉴스에서 □도 □□도 없는 범죄자에 대한 보도를 보았다.

8 뜻 어떤 일에 감격하거나 슬퍼서 눈물이 나오려 하다.

예 잃어버렸던 강아지를 찾았다는 전화를 받자 갑자기 □□이 □□하며 눈물이 핑 돌았다.

9~11 알맞은 관용어를 찾으시오.

9 ㉠~㉣ 중 빈칸에 들어갈 낱말이 다른 것을 찾아 기호를 쓰시오.

> ㉠ 나는 할아버지께 [　　　]이/가 땅에 닿도록 인사를 하였다.
> ㉡ 내 말을 들은 정아는 말도 안 되는 소리라며 [　　　]을/를 쳤다.
> ㉢ 미술 대회에서 상을 하나도 받지 못한 수연이는 [　　　]이/가 납작해졌다.
> ㉣ 요즘 호영이는 수현이에게 무슨 [　　　]이/가 꿰인 건지 수현이가 하자는 대로만 한다.

(　　　　　　　　)

10 다음 (　　) 안에서 알맞은 표현을 골라 ○표 하시오.

(1) 부모님은 명절 때마다 코가 (땅에 닿게, 입술에 닿게) 절을 하도록 시키셨다.
(2) 조선 시대의 나쁜 관리들은 백성들의 피를 (버리며, 빨아먹으며) 배를 불렸다.
(3) 합격자 명단을 확인하는 순간까지 가족 모두가 피를 (말리는, 없애는) 시간을 보냈다.

11 다음 글에서 밑줄 그은 부분과 뜻이 통하는 관용어는 무엇입니까? (　　　　)

> 우리 형은 자신이 최고라고 생각하며 평소 <u>잘난 체하고 뽐내기를 잘한다</u>. 그런데 그런 형도 엄마 앞에서는 꼼짝 못한다.

① 피를 말리다　　② 콧대가 높다
③ 콧등이 시큰하다　　④ 코가 납작해지다
⑤ 피도 눈물도 없다

12 주어진 관용어를 활용해 그림의 상황을 문장으로 표현하시오.

12

피가 되고 살이 되다

____

____

하늘, 하루

109 하늘과 땅

뜻 둘 사이에 큰 차이나 거리가 있음을 뜻하는 말.

110 하늘에 맡기다

뜻 *운명에 따르다.

* 운명: 삶을 지배하는 자연적인 힘. 또는 그 힘으로 말미암아 생기는 여러 가지 일이나 상태.

111 하늘을 찌르다

뜻 1. 매우 높이 솟아 있다. 2. 기세가 대단히 사납고 세차다.

112 하늘이 노래지다

뜻 갑자기 *기력이 다하거나 큰 충격을 받아 정신이 흐려지게 되다.

* 기력: 활동할 수 있는 육체적인 힘.

113 하루가 다르다

뜻 무엇이 변화하는 속도가 눈에 뜨일 정도로 매우 빠르다.

비슷한 말 하루가 새롭다

114 하루에도 열두 번

뜻 매우 자주.

허리, 혀

115 허리가 잘리다

뜻 1. 국토가 나뉘어 갈라지다. 2. 도중에 끊어지거나 중지되다.

116 허리가 휘다*

뜻 감당하기 어려운 일을 하느라 힘이 들다.

비슷한 말 허리가 휘어지다

* 휘다: 꼿꼿하던 물체가 구부러지다.

117 허리를 굽히다

뜻 1. 남에게 겸손한 태도를 보이다. 2. 정중히 인사하다. 3. 남에게 굴복하다.

118 허리를 펴다

뜻 어렵고 힘든 단계를 넘기고 편하게 지낼 수 있게 되다.

119 허리띠를 졸라매다*

뜻 목적을 이루기 위해 단단한 각오로 경제적 어려움을 견디다.

비슷한 말 허리띠를 조르다

* 졸라매다: 느슨하지 않도록 단단히 동여매다.

120 혀를 내두르다

뜻 몹시 놀라거나 기가 막혀서 말을 못하다.

비슷한 말 혀를 두르다

확인 문제

1~4 다음 뜻에 해당하는 관용어를 보기 에서 찾아 쓰시오.

보기

- 허리가 잘리다
- 허리를 펴다
- 하늘이 노래지다
- 혀를 내두르다

1 도중에 끊어지거나 중지되다.
→ (   )

2 몹시 놀라거나 기가 막혀서 말을 못하다.
→ (   )

3 어렵고 힘든 단계를 넘기고 편하게 지낼 수 있게 되다.
→ (   )

4 갑자기 기력이 다하거나 큰 충격을 받아 정신이 흐려지게 되다.
→ (   )

5~8 밑줄 그은 관용어의 알맞은 뜻을 보기 에서 찾아 기호를 쓰시오.

보기

㉮ 운명에 따르다.
㉯ 기세가 대단히 사납고 세차다.
㉰ 무엇이 변화하는 속도가 눈에 뜨일 정도로 매우 빠르다.
㉱ 목적을 이루기 위해 단단한 각오로 경제적 어려움을 견디다.

5 우리 국군의 사기는 하늘을 찌를 듯 높았다.
→ 하늘을 찌르다 (   )

6 들판의 곡식들이 하루가 다르게 쑥쑥 자랐다.
→ 하루가 다르다 (   )

7 부모님께서는 집을 마련하려고 지금껏 허리띠를 졸라매고 사셨다.
→ 허리띠를 졸라매다 (   )

8 옛날에는 큰 병이 나면 치료 기술이 부족했기 때문에 목숨을 하늘에 맡길 수밖에 없었다.
→ 하늘에 맡기다 (   )

9~11 알맞은 관용어를 찾으시오.

9 다음 중 밑줄 그은 관용어의 쓰임이 알맞지 않은 것은 무엇입니까? (　　　)

① 요즘 학부모들은 교육비로 허리가 휠 지경이다.
② 한국의 산들이 골프장 건설에 허리가 잘리고 있다.
③ 버스에서 내 발을 밟은 사람이 허리를 세우며 사과했다.
④ 내 짝은 요즘 이랬다저랬다 하루에도 열두 번씩 마음이 바뀐다.
⑤ 스스로 하는 공부와 남이 시켜서 억지로 하는 공부의 성과는 하늘과 땅만큼의 차이가 있다.

10 다음 빈칸에 공통으로 들어갈 낱말로 알맞은 것은 무엇입니까? (　　　)

- 내 말은 크게 웃는 서현이 소리 때문에 [　　　]이/가 잘렸다.
- 삼촌이 추수를 도우러 온다고 하니 우리 가족은 [　　　]을/를 펼 수 있겠다.

① 혀　② 발　③ 하늘
④ 하루　⑤ 허리

11 다음 밑줄 그은 부분과 뜻이 통하는 관용어는 무엇입니까? (　　　)

윤주의 그림 솜씨에 선생님은 깜짝 놀라 아무 말씀도 하지 못하셨다.

① 허리를 굽히다　② 하늘에 맡기다
③ 혀를 내두르다　④ 하루에도 열두 번
⑤ 허리띠를 졸라매다

12 주어진 관용어를 활용해 그림의 상황을 문장으로 표현하시오.

12

하늘이 노래지다

___

___

그림의 상황에 알맞은 관용어를 떠올려 □ 안에 알맞은 낱말을 쓰시오.

01

도와줄게.
자기 일처럼 열심히 도와주다니 고맙다.
발만 해.

□ 벗고 □□다

02

안녕!
토끼, 오랜만!
토끼는 학교에서 모르는 애가 없네.
토끼야.

□이 넓다

03

눈이 많이 와서 움직일 수가 없습니다. 오늘은 못 갈 것 같아요.

□이 □이다

04

붕어가 다쳤어!
잉어, 언제 다녀온 거야?
여기 약이 있어!

□이 □르다

05

복도에서 장난을 치면 위험해.
쟤들도 같이 했어요.
왜 관계없는 우리한테 그래?

□□이 튀다

06

너 배가 홀쭉해. 아침 안 먹었어?
어제부터 아무것도 못 먹었거든.
꼬르륵

□가 □에 붙다

07

하하! 저 개그맨은 재미있어서 웃음을 못 참겠어.

□□을 쥐다

08

함께 일을 하는 데 이렇게 잘 맞으니 금방 끝나겠어.
너는 주고 나는 쌓고!

□□이 맞다

09

살살 좀 해. 너무 아프다고.
지금껏 잘했으니 조금만 더 힘내!
찰싹

손이 □다

10

잉어 네가 우리 반 씨름 대표를 하게 됐다며? 중요한 역할을 맡아 부담스럽겠다.

□□가 무겁다

11

잉어, 넌 참 좋은 애 같아.

정말?

좋아서 입 벌어진 것 봐.

□이 □□까지 찢어지다

12

이크, 깔봤다가 결국 졌네.

하하, 창피하지?

□가 □□해지다

13

위험을 무릅쓰고 사람을 구하는 소방관 아저씨의 모습에 감격해서 눈물이 나오려 해.

영웅

콧등이 □□하다

14

경기가 다 끝나 가는데, 제발 한 골만!

들어갈 듯 말 듯 애가 타게 만드네.

□를 □리다

15

피자 맛 찐빵이래. 피자랑 비슷할까?

먹어 봤는데, 피자와는 엄청난 차이야.

피자맛

NEW

□□과 □

16

좋아! 모두 힘내서 축구 대회 우승하자!

기세가 대단히 세차네!

우와아아 와아아~

□□을 □르다

17

히…… 힘들어.

시험

학원

수업

숙제

부들부들

□□가 휘다

18

용돈이 바닥났어. 단단히 각오하고 아껴 쓰자.

꽈악

□□□를 □□□다

더 알아보기

관용어

"'식은 죽 먹기'는 속담일까요, 관용어일까요?"

식은 죽 먹기

세 살 적 버릇이 여든까지 간다

우리가 흔히 사용하는 말인 '식은 죽 먹기'는 속담일까요, 관용어일까요? 또 '세 살 적 버릇이 여든까지 간다'는 속담일까요, 관용어일까요? 속담과 관용어가 서로 섞여 있을 때에는 무엇이 속담이고 관용어인지 구분하기 어려운 경우가 있어요.

속담과 관용어는 공통점과 차이점이 있어요. 이 개념을 잘 이해하면 어떤 말이 속담이고 어떤 말이 관용어인지 헷갈리지 않을 거예요.

먼저 공통점을 살펴볼게요.

1. 둘 다 관용 표현에 속한다.

관용 표현과 관용어는 같은 말이 아니에요. 관용 표현은 원래의 뜻과는 다른 새로운 뜻으로 굳어져 쓰는 표현을 말해요. 그러니 관용 표현에는 관용어와 속담이 모두 속한답니다.

2. 둘 이상의 낱말이 모여 새로운 뜻을 나타내거나 습관적으로 쓰인다.

㉨ 발이 넓다: 발의 크기가 크다는 뜻이 아니라 '사귀거나 알고 지내는 사람이 많아 활동하는 범위가 넓다.'는 뜻이에요. 이렇게 '발'과 '넓다'라는 낱말이 결합하여 새로운 뜻을 나타냅니다.

다음은 차이점이에요. 아래의 내용이 속담과 관용어 중에 무엇에 해당되는 내용인지 살펴보아요.

	속담	관용어
1. 대부분 하나의 완결된 문장 형태를 보인다.	○	
2. 조상의 삶의 지혜와 교훈이 담겨 있다.	○	

즉, '식은 죽 먹기'는 완결된 문장 형태도 아니고, 어떤 교훈이 담겨 있지도 않으니 관용어이고, '세 살 적 버릇이 여든까지 간다'는 완결된 문장 형태면서 어릴 때부터 나쁜 버릇이 들지 않도록 잘 가르쳐야 한다는 교훈도 담겨 있으니 속담이랍니다.

3 한자어

한자어 총 120개 수록

한자어는 중국에서 만든 문자인 한자를 바탕으로 하여 만들어진 낱말이에요. 삼국 시대에 사람 이름이나 땅 이름을 한자로 나타내면서 우리말에 한자어가 많아지게 되었지요. 한자어는 글자 하나하나에 뜻이 담겨 있어서 간단한 표현으로도 많은 정보를 담을 수 있어요.

한자어 01

加 더할 가

1. 더하다
2. 가하다

001 가감
加 더할 가 減 뺄 감

뜻 더하거나 빼는 일. 또는 그렇게 하여 알맞게 맞추는 일.

비슷한 말 너틸이

002 가공
加 더할 가 工 장인 공

뜻 *원료나 재료에 기술과 힘을 들여 새로운 물건으로 만드는 것.

* **원료**: 어떤 물건을 만드는 데 바탕이 되는 재료.

003 가열
加 더할 가 熱 더울 열

뜻 1. 뜨거운 기운을 더하는 것. 2. 어떤 사건에 *열기를 더함.

* **열기**: 흥분한 분위기.

可 옳을 가

1. 옳다
2. 허락하다

004 가결
可 옳을 가 決 결단할 결

뜻 회의에서, 제출된 *의안을 좋다고 인정하여 결정하는 것.

반대말 부결(否 아닐 부, 決 결단할 결)

* **의안**: 회의에서 토의할 일.

005 가능
可 옳을 가 能 능할 능

뜻 할 수 있거나 될 수 있음.

반대말 불가능(不 아닐 불, 可 옳을 가, 能 능할 능)

006 가부
可 옳을 가 否 아닐 부

뜻 1. 되는지 아니면 안 되는지 하는 것. 2. 찬성하는지 아니면 반대하는지 하는 것.

한자어

5주 1일

脚 다리 각

1. 종아리, 다리
2. 토대가 되는 것

007 각광
脚 다리 각 光 빛 광

뜻 1. 사회적 관심이나 흥미. 2. 무대 앞쪽 바닥에서 배우를 환하게 비추어 주는 조명.

008 각본
脚 다리 각 本 근본 본

뜻 1. 영화나 연극의 촬영이나 공연에서 쓰도록 대사와 동작과 장면 등을 자세하게 적어 놓은 글. 2. 어떤 일을 하기 위해 미리 짜고 꾸며 놓은 계획.

009 각색
脚 다리 각 色 빛 색

뜻 1. 역사적 사실이나 소설 등을 고쳐서 연극이나 영화의 각본으로 만드는 일. 2. 흥미나 강한 인상을 주기 위하여 실제로 없었던 것을 보태어 사실인 것처럼 꾸밈.

間 사이 간

1. 사이
2. 때
3. 동안

010 간격
間 사이 간 隔 사이 뜰 격

뜻 1. 공간적으로 벌어진 사이. 2. 시간적으로 벌어진 사이. 3. 사람들이나 사물 사이의 관계에 생긴 틈. 4. 어떤 일을 할 만한 기회나 일이 풀려 나가는 정도.

011 간식
間 사이 간 食 먹을 식

뜻 끼니와 끼니 사이에 음식을 먹음. 또는 그 음식.

012 간주
間 사이 간 奏 연주할 주

뜻 한 *악곡의 중간에 끼워 연주하는 부분. 두 절 사이에서 노래를 그치고 반주 악기로만 연주하는 부분.

* 악곡: 음악의 곡조.

확인 문제

1~3 다음 뜻에 해당하는 한자어를 보기에서 찾아 기호를 쓰시오.

보기

㉮ 가열(加熱) ㉯ 가능(可能)
㉰ 각본(脚本) ㉱ 각색(脚色)
㉲ 간식(間食) ㉳ 간주(間奏)

1 끼니와 끼니 사이에 음식을 먹음. 또는 그 음식.
→ (   )

2 영화나 연극의 촬영이나 공연에서 쓰도록 대사와 동작과 장면 등을 자세하게 적어 놓은 글.
→ (   )

3 한 악곡의 중간에 끼워 연주하는 부분. 두 절 사이에서 노래를 그치고 반주 악기로만 연주하는 부분.
→ (   )

4~8 빈칸에 들어갈 알맞은 한자어를 보기에서 찾아 기호를 쓰시오.

보기

㉮ 가감(加減) ㉯ 가결(可決)
㉰ 가공(加工) ㉱ 가부(可否)
㉲ 각색(脚色) ㉳ 간격(間隔)

4 회의에서 우리가 내놓은 안이 반대 없이 (   )되었다.

5 공장 앞 트럭에는 (   )이 끝난 목재들이 가득 실려 있었다.

6 이 영화의 각본은 소설의 원작자가 직접 (   )을 맡아 썼다.

7 수입과 지출을 (   )해서 저축 액수를 정하는 것이 바람직하다.

8 오늘 회의에서는 학급 문고의 설치에 대하여 투표로 (   )를 결정하였다.

9~11 알맞은 한자어를 찾으시오.

9 다음 중 밑줄 그은 한자어의 쓰임이 알맞지 않은 것은 무엇입니까? (　　　　)

① 이 장면은 각본대로 촬영한 것이 아니다.
② 얼음을 가열하면 어떻게 되는지 알아보자.
③ 이 도로에서는 몇 달 간주로 사고가 일어났다.
④ 내가 살고 있는 고장은 최근 관광지로 각광을 받고 있다.
⑤ 그곳은 아직 개발이 덜 된 곳이 많아서 아직도 통화 가능 지역이 별로 없다.

10 다음 빈칸에 공통으로 들어갈 한자어는 무엇입니까? (　　　　)

- 우리는 미리 짠 [　　　] 대로 회의를 이끌어 나갔다.
- 이 연극은 초등학교 아이들이 서로 힘을 모아 직접 [　　　] 을 쓰고 무대 장치, 음악, 출연, 감독을 모두 맡아서 했다.

① 가결(可決)　② 가공(加工)　③ 각본(脚本)
④ 간격(間隔)　⑤ 간주(間奏)

11 다음 밑줄 그은 부분과 바꾸어 쓸 수 있는 한자어는 무엇입니까? (　　　　)

옆 사람과 벌어진 거리를 좁히면 교실이 더 커 보일 것 같다.

① 가감(加減)　② 가능(可能)　③ 가부(可否)
④ 각색(脚色)　⑤ 간격(間隔)

12 주어진 한자어를 활용해 그림의 상황을 문장으로 표현하시오.

12

가열

____

____

한자어 5주 1일

客 손 객

1. 손, 손님
2. 나그네
3. 여행, 객지

013 객관적
客 손 객 觀 볼 관 的 과녁 적

뜻 자기 혼자만의 생각이나 감정에서 벗어나, 있는 그대로인. 또는 그런 것.

반대말 주관적(主 주인 주, 觀 볼 관, 的 과녁 적)

014 객석
客 손 객 席 자리 석

뜻 극장이나 경기장 등에서 구경하는 손님이 앉는 자리.

비슷한 말 관람석(觀 볼 관, 覽 볼 람, 席 자리 석), 관중석(觀 볼 관, 衆 무리 중, 席 자리 석)

015 객지
客 손 객 地 땅 지

뜻 자기가 원래 살던 고장을 떠나 머무르는 곳.

비슷한 말 타향(他 다를 타, 鄕 고향 향)

見 볼 견

1. 보다
2. 견해

016 견문
見 볼 견 聞 들을 문

뜻 새로운 사실을 보고 들어서 얻은 지식.

017 견학
見 볼 견 學 배울 학

뜻 학생이 실제로 가서 보고 배우는 것.

018 견해
見 볼 견 解 풀 해

뜻 어떤 사실에 대한 일정한 의견이나 생각.

비슷한 말 생각, 의견(意 뜻 의, 見 볼 견)

計 셀 계

1. 셈하다
2. 헤아리다
3. 꾀하다

019 계략
計 셀 계 略 간략할 략

뜻 남을 해롭게 하기 위하여 생각해 낸 꾀.

비슷한 말 계책(計 셀 계, 策 꾀 책)

020 계산
計 셀 계 算 셈 산

뜻 1. 수를 셈하는 것. 2. 어떤 일에 대하여 이득이나 손해를 따지는 것. 3. 값을 치르는 것.

021 계획
計 셀 계 劃 그을 획

뜻 앞으로 할 일을 미리 자세히 생각하여 정하는 것.

告 고할 고

1. 고하다, 알리다
2. 발표하다

022 고발
告 고할 고 發 필 발

뜻 경찰이나 수사 기관에 옳지 않은 사실이나 그런 짓을 저지른 사람을 알리는 것.

023 고백
告 고할 고 白 흰 백

뜻 마음속에 숨기고 있는 것을 사실대로 다 말하는 것.

024 고지
告 고할 고 知 알 지

뜻 *게시나 글을 통하여 알림.

* **게시**: 여러 사람에게 알리기 위하여 내붙이거나 내걸어 두루 보게 함. 또는 그런 물건.

확인 문제

1~3 다음 뜻에 알맞은 한자어를 서로 연결하시오.

1 게시나 글을 통하여 알림. • • ㉮ 고지(告知)

2 학생이 실제로 가서 보고 배우는 것. • • ㉯ 견학(見學)

3 자기 혼자만의 생각이나 감정에서 벗어나, 있는 그대로인. 또는 그런 것. • • ㉰ 객관적(客觀的)

4~8 밑줄 그은 한자어와 바꾸어 쓸 수 있는 말이면 ○표, 아니면 ×표 하시오.

4 연극이 끝난 후 <u>객석</u>은 텅 비었다.

→ 관람석 (　　　)

5 <u>계산</u>이 다 끝난 사람은 연습 문제를 풀어 보세요.

→ 숙제 (　　　)

6 형민이는 속으로 자신을 속인 형을 골탕 먹일 <u>계략</u>을 떠올렸다.

→ 꾀 (　　　)

7 나는 지금까지 부모님께 거짓말했던 일에 대해 낱낱이 <u>고백을 하였다</u>.

→ 사실대로 말하였다 (　　　)

8 나라 안을 여행하면, <u>견문</u>도 넓힐 수 있고 국토를 사랑하는 마음도 기르게 된다.

→ 책을 보고 상상한 내용 (　　　)

9~11 알맞은 한자어를 찾으시오.

9 다음 중 밑줄 그은 한자어의 쓰임이 알맞지 않은 것은 무엇입니까? (　　　　)

① 점심값 계산은 제가 하겠습니다.
② 이번 달에는 농업 박물관으로 견문을 간다.
③ 누나는 내일 동해안으로 여행을 떠날 계획이다.
④ 신문에 실린 뉴스가 객관적 사실인지 궁금할 때가 있다.
⑤ 이모는 내가 어린 나이에 객지 생활을 하는 것이 안쓰러웠는지 잘 대해 주셨다.

10 다음 빈칸에 공통으로 들어갈 낱말을 골라 ○표 하시오.

• 최근 들어 자동차와 관련된 소비자 [　　　]이 급격히 늘고 있다.
• 삼촌은 자신을 때린 사람을 경찰에 [　　　]하였다.

(1) 계략(計略) (　　　)
(2) 계산(計算) (　　　)
(3) 고발(告發) (　　　)

11 다음 밑줄 그은 부분과 뜻이 통하는 한자어는 무엇입니까? (　　　　)

선생님은 다음 주 수학여행 일정을 학급 게시판을 통해 알리셨다.

① 객석(客席)　② 계략(計略)　③ 고지(告知)
④ 고발(告發)　⑤ 객지(客地)

12 주어진 한자어를 활용해 그림의 상황을 문장으로 표현하시오.

12

公 공평할 공

1. 공평하다
2. 함께하다

025 공개
公 공평할 공 開 열 개

뜻 무엇을 여러 사람에게 널리 알리거나 직접 볼 수 있게 하는 것.

반대말 비공개(非 아닐 비, 公 공평할 공, 開 열 개)

026 공공
公 공평할 공 共 한가지 공

뜻 한 사회의 모든 사람의 이익에 관계되는 일. 이익을 함께 나누는 사회의 모든 사람.

027 공약
公 공평할 공 約 맺을 약

뜻 정부, 정당, 선거의 *입후보자가 사회의 모든 사람에게 어떤 일을 하겠다고 약속하는 것.

* 입후보자: 선거에 뽑히기를 바라서 스스로 나선 사람.

觀 볼 관

1. 보다
2. 나타내다

028 관광
觀 볼 관 光 빛 광

뜻 어떤 곳의 경치·상황·*풍속 등을 찾아가 구경하는 것.

* 풍속: 한 사회에 오래전부터 지켜 내려오는 관습.

029 관점
觀 볼 관 點 점 점

예쁜 인형이다.
내 관점은 조금 달라.
하나도 안 예뻐.

뜻 사물이나 현상을 관찰할 때, 그 사람이 보고 생각하는 태도나 방향 또는 처지.

030 관중
觀 볼 관 衆 무리 중

뜻 운동 경기나 공연 등을 구경하기 위하여 모인 사람들.

비슷한 말 관객(觀 볼 관, 客 손 객), 관람객(觀 볼 관, 覽 볼 람, 客 손 객)

廣 넓을 광

1. 넓다
2. 널찍하다

031 광고
廣 넓을 광 告 고할 고

뜻 사람들에게 널리 알리는 것. 또는 그런 글이나 그림.

032 광장
廣 넓을 광 場 마당 장

뜻 1. 도시 가운데에 건물을 짓지 않고 많은 사람이 모일 수 있게 한 넓은 곳. 2. 여러 사람이 어떤 일을 함께하거나 누릴 수 있는 장소나 기회.

033 광범위
廣 넓을 광 範 법 범 圍 에워쌀 위

뜻 *범위가 넓음. 또는 넓은 범위.

* 범위: 어떤 활동이나 상태가 미치거나 벌어질 수 있는 정해진 시간·공간, 또는 한계.

根 뿌리 근

1. 뿌리
2. 근본

034 근간
根 뿌리 근 幹 줄기 간

뜻 1. 뿌리와 줄기를 아울러 이르는 말. 2. 일이나 사물 등의 바탕이나 중심이 되는 중요한 것.

035 근거
根 뿌리 근 據 근거 거

뜻 1. 근본이 되는 중요한 지점. 2. 어떤 주장이나 의견이 옳음을 뒷받침하는 까닭.

036 근절
根 뿌리 근 絕 끊을 절

뜻 나쁜 것이 다시 생길 수 없게 완전히 없애는 것.

비슷한 말 근멸(根 뿌리 근, 滅 멸할 멸)

확인 문제

1~2 다음 그림에서 밑줄 그은 한자어의 뜻으로 알맞은 것에 ○표 하시오.

1

(1) 비행기를 타는 것. (　　　)

(2) 필요한 물건을 사는 것. (　　　)

(3) 어떤 곳의 경치 등을 찾아가 구경하는 것. (　　　)

2

(1) 좋은 의견. (　　　)

(2) 널리 알려져 있는 이야기. (　　　)

(3) 어떤 의견이 옳음을 뒷받침하는 까닭. (　　　)

3~7 빈칸에 들어갈 알맞은 한자어를 보기 에서 찾아 기호를 쓰시오.

보기

㉮ 관점(觀點)	㉯ 관중(觀衆)
㉰ 광장(廣場)	㉱ 공공(公共)
㉲ 공약(公約)	㉳ 근절(根絕)

3 우리는 학교 폭력 (　　　)을 위해 노력해야 한다.

4 야구가 끝나고 (　　　)이 경기장에서 쏟아져 나왔다.

5 그들은 한 가지 사물을 서로 다른 (　　　)에서 바라보았다.

6 선거에서 헛된 (　　　)을 내세우는 후보에게는 절대로 표를 주지 맙시다.

7 경찰서, 우체국, 소방서, 보건소 등은 (　　　) 기관으로, 우리 모두가 이용할 수 있다.

8~10 알맞은 한자어를 찾으시오.

8 다음 한자어의 뜻풀이가 알맞지 않은 것은 무엇입니까? (   )

① 광범위(廣範圍): 범위가 좁은 것.
② 근간(根幹): 일이나 사물 등의 바탕이나 중심이 되는 중요한 것.
③ 광고(廣告): 사람들에게 널리 알리는 것. 또는 그런 글이나 그림.
④ 광장(廣場): 여러 사람이 어떤 일을 함께하거나 누릴 수 있는 장소나 기회.
⑤ 공개(公開): 무엇을 여러 사람에게 널리 알리거나 직접 볼 수 있게 하는 것.

9 밑줄 그은 한자어의 쓰임이 알맞지 않은 것에 ×표 하시오.

(1) 주장을 할 때는 그에 알맞은 근거를 들어서 말해야 한다. (   )
(2) 선생님께서 이 문제를 우리 반 모두가 볼 수 있도록 공약하자고 하셨다. (   )
(3) 문자 메시지 등에서 보이는 언어 파괴 현상은 요즘 학생들에게서 광범위하게 나타나고 있다. (   )

10 다음 밑줄 그은 부분과 뜻이 통하는 한자어는 무엇입니까? (   )

> 가정은 사회 모든 집단의 중심이자 바탕이 된다.

① 공개(公開)　② 관중(觀衆)　③ 광장(廣場)
④ 근간(根幹)　⑤ 근절(根絕)

11~12 주어진 한자어를 활용해 그림의 상황을 문장으로 표현하시오.

11

관광

____

____

12

광장

____

____

한자어 5주 3일

能 능할 능

1. 능하다
2. 할 수 있다

037 능동적
能 능할 능 動 움직일 동 的 과녁 적

뜻 자기의 힘과 생각으로 활동하는 태도나 성질인. 또는 그런 것.

반대말 수동적(受 받을 수, 動 움직일 동, 的 과녁 적)

038 능력
能 능할 능 力 힘 력

뜻 일을 할 수 있는 힘이나 재주.

039 능률
能 능할 능 率 비율 률

뜻 일정한 시간에 할 수 있는 일의 양. 일의*효율.

* 효율: 들인 힘에 비하여 실제로 나타난 이로운 결과의 정도.

達 통달할 달

1. 통달하다
2. 통하다
3. 이르다

040 달변
達 통달할 달 辯 말씀 변

뜻 막힘이 없이 말을 아주 잘하는 것. 또는 그런 말솜씨.

반대말 눌변(訥 말 더듬거릴 눌, 辯 말씀 변)

041 달성
達 통달할 달 成 이룰 성

뜻 뜻한 것을 이루는 것.

042 달인
達 통달할 달 人 사람 인

뜻 학문이나 기술, 재주 등에 남달리 뛰어난 재주를 가진 사람.

代 대신할 대

1. 대신하다
2. 교체하다

043 대가
代 대신할 대 價 값 가

뜻 1. 어떤 것에 어울리게 치러야 하는 값. 2. 어떤 일에 들인 노력이나 수고에 대한*보수나 보람.

* **보수**: 일한 값으로 받는 돈이나 물건 또는 이득.

044 대체
代 대신할 대 替 바꿀 체

뜻 무엇을 그 비슷한 기능이나 능력을 가진 다른 것으로 바꾸는 것.

비슷한 말 교체(交 사귈 교, 替 바꿀 체)

045 대표
代 대신할 대 表 겉 표

뜻 1. 전체의 성질을 잘 나타내는 *본보기. 2. 어떤 조직이나 집단의 우두머리로 권리와 책임을 가진 사람.

* **본보기**: 어떤 사실을 잘 설명해 주는 특징적인 것.

對 대할 대

1. 대하다
2. 대답하다

046 대면
對 대할 대 面 낯 면

뜻 직접 얼굴을 마주 보며 만나는 것.

비슷한 말 당면(當 마땅 당, 面 낯 면), 면대(面 낯 면, 對 대할 대)

047 대비
對 대할 대 備 갖출 비

뜻 앞으로 있을지도 모를 힘들거나 어려운 일을 겪지 않기 위해서 미리 준비하는 것.

048 대책
對 대할 대 策 꾀 책

뜻 어떤 어려운 상황을 막거나 이겨 낼 수 있는 알맞은 계획.

확인 문제

1~3 다음 뜻에 해당하는 한자어를 보기에서 찾아 쓰시오.

보기

- 능력
- 능률
- 대가
- 대면
- 대체
- 대표

1 직접 얼굴을 마주 보며 만나는 것.
→ (   )

2 일정한 시간에 할 수 있는 일의 양. 일의 효율.
→ (   )

3 무엇을 그 비슷한 기능이나 능력을 가진 다른 것으로 바꾸는 것.
→ (   )

4~8 빈칸에 들어갈 알맞은 한자어를 보기에서 찾아 기호를 쓰시오.

보기

㉮ 능동적(能動的)　㉯ 능력(能力)
㉰ 달변(達辯)　㉱ 달성(達成)
㉲ 대가(代價)　㉳ 대책(對策)

4 목표 (   )을 위해 최선을 다하자.

5 여름에는 뇌염을 예방하기 위한 (   )이 필요하다.

6 열심히 노력했으니 정당한 (   )를 반드시 받게 될 것이다.

7 나는 네가 적극적이고 (   )인 자세로 학교생활을 하면 좋겠다.

8 수현이는 평소에는 조용하지만 일단 이야기를 시작하면 굉장한 (   )이었다.

9~11 알맞은 한자어를 찾으시오.

9 다음 중 밑줄 그은 한자어의 쓰임이 알맞지 않은 것은 무엇입니까? (　　　)

① 전학 온 날, 친구들과 첫 대면을 했다.
② 아리랑은 우리 민요의 대표로 손꼽힌다.
③ 가뭄에 대비를 하려고 저수지를 만들었다.
④ 그는 동화를 재미있게 들려주는 능률이 뛰어나다.
⑤ 이 조각품은 달인의 솜씨를 잘 보여 주는 작품이다.

10 다음 빈칸에 공통으로 들어갈 한자는 무엇인지 알맞은 것에 ○표 하시오.

- 대가(■價): 어떤 일에 들인 노력이나 수고에 대한 보수나 보람.
- 대체(■替): 무엇을 그 비슷한 기능이나 능력을 가진 다른 것으로 바꾸는 것.
- 대표(■表): 어떤 조직이나 집단의 우두머리로 권리와 책임을 가진 사람.

(1) 大(큰 대) (　　　)
(2) 對(대할 대) (　　　)
(3) 代(대신할 대) (　　　)

11 다음 밑줄 그은 부분과 바꾸어 쓸 수 있는 한자어는 무엇입니까? (　　　)

우리는 건강할 때부터 각종 질병에 대응하기 위하여 미리 준비를 해 둘 필요가 있다.

① 능률(能率)　② 달성(達成)　③ 대가(代價)
④ 대면(對面)　⑤ 대비(對備)

12 주어진 한자어를 활용해 그림의 상황을 문장으로 표현하시오.

12

능력

____

____

한자어 5주 4일

1. 움직이다
2. 옮기다
3. 흔들리다

049 동기
動 움직일 동 機 틀 기

뜻 어떤 특별한 일을 하게 된*심리적인 이유나 원인.

* 심리적: 마음의 움직임이나 상태와 관련된. 또는 그런 것.

050 동력
動 움직일 동 力 힘 력

뜻 1. 기계를 움직여서 일을 하게 하는 힘. 2. 어떤 일을 발전시키고 밀고 나가는 힘.

051 동요
動 움직일 동 搖 흔들 요

뜻 흔들리거나 불안한 것.

1. 나그네
2. 여행하다

052 여객
旅 나그네 려 客 손 객

뜻 주로 비행기, 배, 기차 등을 타고 여행을 하고 있는 사람.

053 여정
旅 나그네 려 程 길 정

뜻 여행 중에 거쳐 가는 길이나 과정, 또는 여행의 일정.

비슷한 말 객정(客 손 객, 程 길 정)

054 여행
旅 나그네 려 行 다닐 행

뜻 집을 떠나 이곳저곳을 두루 구경하며 다니는 일.

利 이로울 리

1. 이롭다
2. 편리하다
3. 날카롭다

055 이권
利 이로울 리 權 권세 권

뜻 이익을 얻을 수 있는 권리.

056 이기심
利 이로울 리 己 몸 기 心 마음 심

뜻 남을 생각하지 않고 자기의 이익만을 생각하는 마음.

반대말 이타심(利 이로울 리, 他 다를 타, 心 마음 심)

057 이윤
利 이로울 리 潤 불을 윤

뜻 장사를 하여 남은 돈.

免 면할 면

1. 면하다, 벗어나다
2. 허가하다

058 면역
免 면할 면 疫 전염병 역

뜻 1. 균이나 바이러스에 대해*항체가 생겨서, 같은 균이나 바이러스가 일으키는 병에 걸리지 않는 기능. 2. 반복 자극에 반응이 없어지는 것.

* **항체**: 병균에 저항하거나 그것을 죽이는 몸속 물질.

059 면제
免 면할 면 除 덜 제

뜻 책임이나 의무를 맡지 않게 하거나 벗어나게 하는 것.

060 면허
免 면할 면 許 허락할 허

뜻 1. 어떤 기술을 쓸 수 있도록 국가나 특정 기관에서 인정해 주는 권리나 자격. 2. 특정한 행위나 영업을 할 수 있도록 국가에서 허락하는 것.

한자어 5주 5일

확인 문제

1~3 다음 뜻에 알맞은 한자어를 서로 연결하시오.

1 기계를 움직여서 일을 하게 하는 힘. • • ㉮ 여객(旅客)

2 책임이나 의무를 맡지 않게 하거나 벗어나게 하는 것. • • ㉯ 동력(動力)

3 주로 비행기, 배, 기차 등을 타고 여행을 하고 있는 사람. • • ㉰ 면제(免除)

4~8 주어진 한자어의 뜻을 보고 □ 안에 알맞은 낱말을 쓰시오.

4 뜻 장사를 하여 남은 돈.
예 □□이 없는 장사를 하면 안 된다.

5 뜻 이익을 얻을 수 있는 권리.
예 두 기업은 □□을 두고 심한 경쟁을 벌였다.

6 뜻 어떤 특별한 일을 하게 된 심리적인 이유나 원인.
예 어머니께서는 내가 일찍 일어나게 된 □□가 무엇인지 궁금해하신다.

7 뜻 여행 중에 거쳐 가는 길이나 과정, 또는 여행의 일정.
예 우리의 □□은 대전에서 시작해서 경주에서 끝나도록 짜여 있다.

8 뜻 어떤 기술을 쓸 수 있도록 국가나 특정 기관에서 인정해 주는 권리나 자격.
예 자동차를 □□가 없는 사람이 운전하는 것은 불법이다.

9~11 알맞은 한자어를 찾으시오.

9 **다음 중 밑줄 그은 한자어의 쓰임이 알맞지 않은 것은 무엇입니까? (　　　　)**

① 자갈길에 들어서면서 버스의 동요가 심해졌다.
② 홍역 예방 주사는 한 번 맞으면 평생 면허가 된다.
③ 이 세탁기를 사면 일 년간 수리비 면제의 혜택을 받을 수 있다.
④ 우리 가족은 큰형의 시험이 끝나면 제주도로 여행을 갈 예정이다.
⑤ 나는 좋은 것은 모두 자기가 가지려는 동생의 이기심에 화가 났다.

10 **다음 (　　) 안에서 알맞은 한자어를 골라 ○표 하시오.**

⑴ 경운기는 (동력, 이윤)이 약해 언덕을 잘 오르지 못한다.
⑵ 삼촌은 의사 (면제, 면허)를 따기 위해 열심히 공부하신다.
⑶ 어머니께서는 일주일의 짧은 (여객, 여정)으로 미국을 둘러보고 오셨다.
⑷ 신문에 범죄자의 범행 (동요, 동기)가 자세하게 적혀 있어서 눈길을 끌었다.

11 **다음 밑줄 그은 부분과 뜻이 통하는 한자어는 무엇입니까? (　　　　)**

> 개학 첫날 담임 선생님께서는 자기만 생각하는 마음을 버리고 우리 모두를 위하는 마음을 갖자고 말씀하셨다.

① 동기(動機)　② 동요(動搖)　③ 이권(利權)
④ 면제(免除)　⑤ 이기심(利己心)

12 주어진 한자어를 활용해 그림의 상황을 문장으로 표현하시오.

12

면역

한자어
5주 5일

5주 마무리

그림의 상황에 알맞은 한자어를 떠올려 □ 안에 알맞은 낱말을 쓰시오.

01

가□

02

가□

03

각□

04

객□

05

견□

06

계□

07

계□

08

□백

09

공□

10

공

11

관

12

근

13

능

14

표

15

비

16

동

17

여

18

이 심

공부한 날 월 일 정답 20 쪽

名 이름 명

1. 이름
2. 평판

061 명망
名 이름 명 望 바랄 망

뜻 이름이 나고 세상 사람이 우러르고 따르는 것.

062 명분
名 이름 명 分 나눌 분

뜻 1. 각각의 이름이나 위치에 따라 마땅히 지켜야 할*도리. 2. 겉으로 내세우는 이유나 구실.

* 도리: 사람이 마땅히 지켜야 할 바른길.

063 명예
名 이름 명 譽 기릴 예

뜻 1. 세상 사람들로부터 받는 높은 평가와 그에 따르는*영광. 2. 훌륭한 일을 기억하고 존경의 뜻을 나타내기 위하여 붙여 주는 이름.

* 영광: 모두의 칭찬·존경을 받아 자랑스러운 것.

發 필 발

1. 피다
2. 일어나다

064 발굴
發 필 발 掘 팔 굴

뜻 1. 땅속에 묻혀 있던 것을 파내는 것. 2. 알려지지 않던 중요한 것을 찾아내는 것.

065 발단
發 필 발 端 끝 단

뜻 어떤 일이 벌어지게 된 이유. 일의 시작.

066 발전
發 필 발 展 펼 전

뜻 1. 더 좋은 상태로 변하는 것. 2. 일이 어떤 방향으로 더 커지거나 복잡해지는 것.

放 놓을 방

1. 놓다
2. 내놓다

067 방목
放 놓을 방 牧 칠 목

뜻 양·염소·소·말 등을 산이나 들에 풀어 놓고 기르는 일.

068 방송
放 놓을 방 送 보낼 송

뜻 라디오나 텔레비전처럼 *전파를 통해 소리나 그림을 많은 사람에게 전달하는 것.

* 전파: 공간으로 넓게 멀리 퍼지는 성질이 있어서 무선 통신에 사용되는 전자 자기 파동.

069 방심
放 놓을 방 心 마음 심

뜻 조심하지 않고 마음을 놓는 것.

비슷한 말 부주의(不 아닐 부, 注 부을 주, 意 뜻 의)

防 막을 방

1. 막다
2. 맞서다

070 방어
防 막을 방 禦 막을 어

뜻 상대의 공격을 막는 것.

반대말 공격(攻 칠 공, 擊 칠 격)

071 방역
防 막을 방 疫 전염병 역

뜻 *전염병이 발생하거나 널리 퍼지는 것을 미리 막는 것.

* 전염병: 남에게 옮아가는 성질을 가진 병들을 통틀어 이르는 말.

072 방음
防 막을 방 音 소리 음

뜻 안의 소리가 밖으로 새어 나오지 못하거나 밖의 소리가 안으로 들어오지 못하게 하는 것.

확인 문제

1~2 다음 그림에서 밑줄 그은 한자어의 뜻으로 알맞은 것에 ○표 하시오.

1

방목을 해서 키우면 동물이 더 건강해진단다.

(1) 이름이 나고 인기가 높은 것. (　　　)
(2) 조심하지 않고 마음을 놓는 것. (　　　)
(3) 동물을 산이나 들에 풀어 놓고 기르는 일. (　　　)

2

(1) 상대의 공격을 막는 것. (　　　)
(2) 전염병이 발생하는 것을 미리 막는 것. (　　　)
(3) 안의 소리가 밖으로 들리지 않게 하는 것. (　　　)

3~7 빈칸에 들어갈 알맞은 한자어를 보기에서 찾아 기호를 쓰시오.

보기

㉮ 명망(名望)	㉯ 명예(名譽)
㉰ 발굴(發掘)	㉱ 발단(發端)
㉲ 방송(放送)	㉳ 방심(放心)

3 싸움의 (　　　)은 아주 사소한 오해에 있었다.

4 나는 우리 팀의 (　　　)를 위해 최선을 다할 것이다.

5 다 이긴 경기였는데 (　　　)을 하다가 결국 역전을 당했다.

6 땅속에 묻힌 문화재의 (　　　)은 아무나 함부로 할 수 없게 되어 있다.

7 내가 좋아하던 텔레비전 프로그램은 시청률이 낮아 (　　　)이 중단되었다.

8~10 알맞은 한자어를 찾으시오.

8 밑줄 그은 한자어의 쓰임이 알맞지 않은 것에 ×표 하시오.

(1) 할아버지께서는 실력 있는 의사로 명망이 높으셨다. (　　)

(2) 과학 기술의 눈부신 발전에 따라 사람들의 생활은 더욱 편리해졌다. (　　)

(3) 범준이는 그 단체에서 그동안의 수고를 인정받아 방심 회원의 자격을 얻었다. (　　)

9 다음 밑줄 그은 낱말과 뜻이 반대되는 한자어는 무엇입니까? (　　)

> 우리 팀은 쉬지 않고 공격을 한 끝에 결국 승리하였다.

① 명예(名譽) ② 발단(發端) ③ 방음(防音)
④ 방심(放心) ⑤ 방어(防禦)

10 다음 밑줄 그은 부분과 바꾸어 쓸 수 있는 한자어는 무엇입니까? (　　)

> 그 회사는 나라 경제의 발전을 구실이나 이유로 삼아 자연을 파괴하였다.

① 명망(名望) ② 명분(名分) ③ 발전(發展)
④ 방심(放心) ⑤ 방역(防疫)

11~12 주어진 한자어를 활용해 그림의 상황을 문장으로 표현하시오.

11

발굴

____

____

12

방음

____

____

한자어 6주 1일

報 알릴 보

1. 알리다
2. 갚다

073 보고
報 알릴 보 告 고할 고

뜻 연구하거나 조사한 것의 내용이나 결과를 글이나 말로 알리는 것.

074 보답
報 알릴 보 答 대답 답

뜻 남에게 입은 은혜나 고마움을 갚는 것.

075 보도
報 알릴 보 道 길 도

뜻 어떤 사실을 신문, 방송 등을 통해 여러 사람에게 알리는 것. 또는 그 내용.

復 회복할 복

1. 회복하다
2. 되풀이하다
3. (은혜나 원한을) 갚다

076 복구
復 회복할 복 舊 옛 구

뜻 부서지거나 깨뜨려져 무너진 것을 다시 본래의 상태로 고치는 것.

077 복수
復 회복할 복 讐 원수 수

뜻 *원수를 갚음.

비슷한 말 보복(報 갚을 보, 復 회복할 복), 앙갚음

* 원수: 원한이 맺힐 정도로 자기에게 해를 끼친 사람이나 집단.

078 복습
復 회복할 복 習 익힐 습

뜻 배운 것을 다시 공부하여 익히는 것.

반대말 예습(豫 미리 예, 習 익힐 습)

한자어
6주 2일

不 아닐 부

1. 아니다
2. 없다

079 부당
不 아닐 부 當 마땅 당

뜻 도리에 어긋나서 옳지 않음.

반대말 정당(正 바를 정, 當 마땅 당)

080 부도덕
不 아닐 부 道 길 도 德 덕 덕

뜻 *도덕에 어긋남.

비슷한 말 부덕의(不 아닐 부, 德 덕 덕, 義 옳을 의)

* **도덕**: 어떤 말이나 행동이 옳은 것이 되도록 한 사회에 속한 사람들이 마땅히 지켜야 할 정신적 기준. 한 사회의 정신적 가치 체계.

081 부재
不 아닐 부 在 있을 재

뜻 어떤 곳에 있지 않은 것.

比 견줄 비

1. 견주다
2. 본뜨다, 모방하다

082 비교
比 견줄 비 較 견줄 교

뜻 차이를 알아내려고 여럿을 서로 견주어 보는 것.

083 비유
比 견줄 비 喩 깨우칠 유

뜻 어떤 사물이나 현상을 효과적으로 설명하거나 표현하기 위해서 그것과 비슷한 다른 사물이나 현상으로 바꾸거나 빗대어 표현하는 것. 또는 그 표현.

084 비율
比 견줄 비 率 비율 율

뜻 둘 이상의 수를 비교할 때 그 중 한 수를 기준으로 하여 일정하게 늘이거나 줄여서 나타낸 다른 수.

확인 문제

1~3 다음 뜻에 해당하는 한자어를 보기에서 찾아 기호를 쓰시오.

보기

㉮ 보고(報告)	㉯ 보답(報答)
㉰ 복구(復舊)	㉱ 부당(不當)
㉲ 비유(比喩)	㉳ 비율(比率)

1 노리에 어긋나서 옳지 않음.
→ (   )

2 남에게 입은 은혜나 고마움을 갚는 것.
→ (   )

3 부서지거나 깨뜨려져 무너진 것을 다시 본래의 상태로 고치는 것.
→ (   )

4~8 주어진 한자어의 뜻을 보고 (   ) 안의 알맞은 말에 ○표 하시오.

4 **뜻** 어떤 곳에 있지 않은 것.
예 여러 번 전화를 했지만 담당자의 (복구, 부재)로 통화를 못 하였다.

5 **뜻** 배운 것을 다시 공부하여 익히는 것.
예 선생님은 내일 시험을 볼 테니 (보답, 복습)을 꼭 해 오라고 하셨다.

6 **뜻** 연구하거나 조사한 것의 내용이나 결과를 글이나 말로 알리는 것.
예 회장은 결석한 학생 수를 선생님께 (보고, 보도)했다.

7 **뜻** 둘 이상의 수를 비교할 때 그중 한 수를 기준으로 하여 일정하게 늘이거나 줄여서 나타낸 다른 수.
예 우리나라의 전체 인구 중 농촌 인구가 차지하는 (부당, 비율)이 점점 줄어들고 있다.

8 **뜻** 어떤 사물이나 현상을 효과적으로 설명하거나 표현하기 위해서 그것과 비슷한 다른 사물이나 현상으로 바꾸거나 빗대어 표현하는 것. 또는 그 표현.
예 소나무는 절개 있는 선비를 (비유, 비율)할 때에 많이 쓰였다.

9~11 알맞은 한자어를 찾으시오.

9 **다음 중 밑줄 그은 한자어의 쓰임이 알맞지 않은 것은 무엇입니까? (　　　　)**

① 싸움에서 진 군인은 분노와 보답의 감정을 느꼈다.
② 은주는 복습을 할 생각으로 수학 교과서와 문제집을 폈다.
③ 나는 이번 학급 회의에서 결정된 내용의 부당함을 지적했다.
④ 많은 돈을 준다고 해도 사기와 같은 부도덕한 일은 절대 하면 안 된다.
⑤ 임진왜란 때 조선을 침략한 왜군의 수는 조선과 비교가 되지 않게 많았다.

10 **다음 빈칸에 공통으로 들어갈 한자어로 알맞은 것은 무엇입니까? (　　　　)**

• 우리 선수의 금메달 소식이 신문에 [　　　] 되었다.
• 이 상품이 소비자들에게 큰 인기를 얻고 있다는 뉴스 [　　　] 가 있었다.

① 보도(報道)　② 복수(復讐)　③ 부재(不在)
④ 비교(比較)　⑤ 비유(比喩)

11 **다음 밑줄 그은 부분과 바꾸어 쓸 수 있는 한자어는 무엇입니까? (　　　　)**

우리는 선거에서 정치인을 뽑을 때 정의와 윤리에 어긋난 행동을 한 사람은 뽑으면 안 된다.

① 성공한　② 부지런한　③ 부도덕한
④ 이타적인　⑤ 평화적인

12 주어진 한자어를 활용해 그림의 상황을 문장으로 표현하시오.

12

비교

産 낳을 산

1. 낳다
2. 자라다
3. 생산하다

085 산란
産 낳을 산 卵 알 란

뜻 알을 낳음.

086 산업
産 낳을 산 業 업 업

뜻 농업·공업·임업·수산업·광업처럼 자연에서 자원을 얻거나 이를 이용하여 생활에 필요한 물자를 생산하는 일.

087 산유국
産 낳을 산 油 기름 유 國 나라 국

뜻 *원유를 만들어 내는 나라.

반대말 비산유국(非 아닐 비, 産 낳을 산, 油 기름 유, 國 나라 국)

* **원유**: 땅속에서 뽑아낸 상태 그대로의 석유.

序 차례 서

1. 차례
2. 실마리
3. 서문, 머리말

088 서론
序 차례 서 論 논할 론

뜻 긴 글이나 말에서 *본론으로 이끌어 가는 맨 앞의 부분.

비슷한 말 머리말

* **본론**: 말이나 글에서 중심이 되는 부분.

089 서막
序 차례 서 幕 장막 막

뜻 1. 연극 등에서, 처음 여는 막. 인물·사건 등을 미리 보여 줌. 2. 일의 시작이나 발단.

090 서열
序 차례 서 列 벌일 열

뜻 일정한 기준에 따라 순서대로 늘어섬. 또는 그 순서.

한자어
6주 3일

消 사라질 소

1. 사라지다
2. 없애다

091 소등
消 사라질 소 燈 등 등

뜻 어둠을 밝히기 위한 등불을 끄는 것.

092 소멸
消 사라질 소 滅 꺼질 멸

뜻 점점 줄어들어 없어지는 것.

반대말 생성(生 날 생, 成 이룰 성)

093 소비
消 사라질 소 費 쓸 비

뜻 돈·물품·시간·힘 등을 써서 없애는 것.

반대말 생산(生 날 생, 産 낳을 산)

義 옳을 의

1. 옳다, 의롭다
2. 선량하다

094 의리
義 옳을 의 理 다스릴 리

뜻 1. 사람으로서 마땅히 지켜야 할 도리. 2. 사람과의 관계에서 지켜야 할 바른 도리.

095 의무
義 옳을 의 務 힘쓸 무

뜻 마땅히 해야 할 일.

반대말 권리(權 권세 권, 利 이로울 리)

096 의사
義 옳을 의 士 선비 사

뜻 나라와 민족을 위하여 일하다가 목숨을 바친 사람.

비슷한 말 열사(烈 매울 열, 士 선비 사)

확인 문제

1~3 다음 뜻에 알맞은 한자어를 서로 연결하시오.

1 알을 낳음. •

2 점점 줄어들어 없어지는 것. •

3 나라와 민족을 위하여 일하다가 목숨을 바친 사람. •

• ㉮ 소멸(消滅)

• ㉯ 산란(産卵)

• ㉰ 의사(義士)

4~8 주어진 한자어의 뜻을 보고 □ 안에 알맞은 낱말을 쓰시오.

4 뜻 원유를 만들어 내는 나라.

예 □□□이 원유 생산량을 줄이면서 원유 가격이 크게 올랐다.

5 뜻 어둠을 밝히기 위한 등불을 끄는 것.

예 나는 우리 집 □□ 시간에 맞춰 잠자리에 들었다.

6 뜻 돈·물품·시간·힘 등을 써서 없애는 것.

예 낙농업은 우유 □□가 많은 대도시 주변에서 주로 발달하였다.

7 뜻 연극 등에서, 처음 여는 막. 인물·사건 등을 미리 보여 줌.

예 헐레벌떡 도착해 보니, 이미 연극의 □□이 오른 뒤였다.

8 뜻 농업·공업·임업·수산업·광업처럼 자연에서 자원을 얻거나 이를 이용하여 생활에 필요한 물자를 생산하는 일.

예 우리나라의 통신 기술 분야 □□은 눈부시게 발전하였다.

9~11 알맞은 한자어를 찾으시오.

9 밑줄 그은 한자어의 쓰임이 알맞지 않은 것에 ×표 하시오.

(1) 권리에는 의무가 따르듯이 자유에는 책임이 뒤따른다. (　　)

(2) 인터넷의 발달로 인해 종이 신문은 생성의 길을 걷게 되었다. (　　)

(3) 그는 어려운 친구의 일에 적극적으로 나서는 의리 있는 사람이다. (　　)

(4) 대부분의 새들은 산란을 앞두고는 푸른 나뭇잎을 따다 깃 속에 깐다고 한다. (　　)

10 다음 빈칸에 공통으로 들어갈 한자어로 알맞은 것은 무엇입니까? (　　)

• 군대는*계급에 따라 [　　] 이/가 정해진다.
• 우리 모임에서 굳이 [　　] 을/를 정하자면 나는 중간 정도에 해당한다.

* **계급**: 지휘나 명령을 할 수 있는 권한이 크고 적음에 따라 정해지는 지위.

① 산업(産業)　② 서론(序論)　③ 서열(序列)
④ 소멸(消滅)　⑤ 의리(義理)

11 다음 빈칸에 공통으로 들어갈 알맞은 한자어는 무엇입니까? (　　)

언론은 국민에게 마땅히 진실을 알려야 한다. 이는 언론의 [　　] 라고 생각한다. 하지만 맡은 바 [　　] 를 다하는 언론이 과연 몇이나 있을까?

① 권리(權利)　② 소비(消費)　③ 의리(義理)
④ 의무(義務)　⑤ 의사(義士)

12 주어진 한자어를 활용해 그림의 상황을 문장으로 표현하시오.

12

산란

____

____

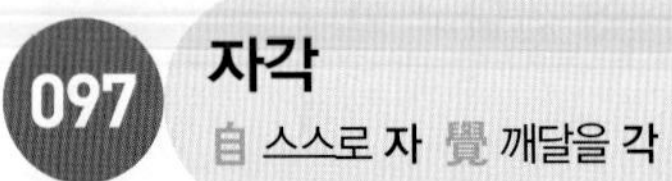

1. 스스로
2. 저절로

097 자각
自 스스로 자 覺 깨달을 각

뜻 스스로 깨닫거나 느끼는 것. 또는 그 느낌.

098 자생
自 스스로 자 生 날 생

뜻 **1.** 자기 자신의 힘으로 살아감. **2.** 저절로 나서 자람.

099 자주
自 스스로 자 主 주인 주

뜻 남의 간섭을 받지 않고 자기의 일을 스스로 결정하고 처리하는 것.

1. 끊다
2. 단절하다
3. 뛰어나다

100 절경
絕 끊을 절 景 볕 경

뜻 뛰어나게 아름다운 경치.

101 절망
絕 끊을 절 望 바랄 망

뜻 모든 희망을 다 버리는 것.

비슷한 말 낙담(落 떨어질 낙, 膽 쓸개 담)

반대말 희망(希 바랄 희, 望 바랄 망)

102 절정
絕 끊을 절 頂 정수리 정

뜻 **1.** 최고의 상태. **2.** 극이나 소설의 전개 과정에서*갈등이 가장 높은 정도에 이르는 단계.

* **갈등**: 어떻게 해야 할지 결정을 못하고 이럴까 저럴까 마음속으로 괴로워하는 상태.

進 나아갈 **진**

1. 나아가다
2. 오르다

103 진격
進 나아갈 진 擊 칠 격

뜻 앞으로 나아가며 적을 공격하는 것.

반대말 퇴각(退 물러날 퇴, 却 물리칠 각)

104 진로
進 나아갈 진 路 길 로

뜻 앞으로 나아갈 길.

반대말 퇴로(退 물러날 퇴, 路 길 로)

105 진일보
進 나아갈 진 一 한 일 步 걸음 보

뜻 한 걸음 더 나아간다는 뜻으로, 한 단계 더 높이 발전해 나아감을 나타내는 말.

執 잡을 **집**

1. 잡다
2. 가지다

106 집념
執 잡을 집 念 생각 념

뜻 어떤 한 가지 일에만 달라붙어 정신을 쏟는 것.

107 집착
執 잡을 집 着 붙을 착

뜻 어떤 것에 늘 마음이 쏠려 잊지 못하고 매달림.

108 집필
執 잡을 집 筆 붓 필

뜻 붓을 잡는다는 뜻으로, 직접 글을 쓰는 것을 뜻하는 말.

확인 문제

1~4 다음 뜻에 해당하는 한자어를 보기에서 찾아 기호를 쓰시오.

보기

㉮ 자각(自覺)	㉯ 자생(自生)
㉰ 자주(自主)	㉱ 절망(絕望)
㉲ 진격(進擊)	㉳ 집념(執念)

1 자기 자신의 힘으로 살아감.
→ (　　　　　　　　　　)

2 앞으로 나아가며 적을 공격하는 것.
→ (　　　　　　　　　　)

3 스스로 깨닫거나 느끼는 것. 또는 그 느낌.
→ (　　　　　　　　　　)

4 어떤 한 가지 일에만 달라붙어 정신을 쏟는 것.
→ (　　　　　　　　　　)

5~8 밑줄 그은 한자어와 바꾸어 쓸 수 있는 말이면 ○표, 아니면 ×표 하시오.

5 그 농부는 땅에 대한 강한 <u>집착</u>을 드러내 보였다.
→ 증오 (　　　)

6 독립 기념 연설회에서 그 의사는 민족의 <u>자주</u>를 강조하였다.
→ 평화 (　　　)

7 현재 인기 <u>절정</u>에 있는 가수가 우리 마을에서 공연을 하였다.
→ 정상 (　　　)

8 컴퓨터 그래픽의 발달은 공상 과학 영화를 촬영하는 기술의 <u>진일보</u>를 이끌었다.
→ 발전 (　　　)

9~11 알맞은 한자어를 찾으시오.

9 다음 내용이 옳으면 ○표, 틀리면 ×표를 하시오.

(1) '절경(絕景)'은 뛰어나게 아름다운 경치를 뜻한다. ( )

(2) 모든 희망을 다 버리는 것을 '절망(絕望)'이라고 한다. ( )

(3) 앞으로 나아가며 적을 공격하는 것을 '진일보(進一步)'라고 한다. ( )

(4) '집필(執筆)'은 붓을 잡는다는 뜻으로, 직접 글을 쓰는 것을 뜻하는 말이다. ( )

10 ㉠~㉣ 중 빈칸에 들어갈 한자어가 다른 것을 찾아 기호를 쓰시오.

㉠ 우리는 동쪽으로 [ ] 을/를 바꾸었다.
㉡ 눈이 온 설악산은 [ ] 을/를 이루었다.
㉢ 언니는 대학을 졸업하고 소설가로 [ ] 을/를 정해 집필을 시작하였다.
㉣ 기상청에서는 태풍의 [ ] 이/가 바뀌어 일본으로 향하게 되었다고 발표했다.

( )

11 다음 빈칸에 공통으로 들어갈 알맞은 한자어는 무엇입니까? ( )

• 학교는 학생들이 졸업한 뒤 혼자 살아갈 수 있도록 [ ] 의 힘을 길러 주어야 한다.
• 북한산에는 다양한 [ ] 식물들이 살아간다.

① 성실(誠實) ② 자생(自生) ③ 자주(自主)
④ 집착(執着) ⑤ 희망(希望)

12 주어진 한자어를 활용해 그림의 상황을 문장으로 표현하시오.

12

절망

____

____

推 밀 추

1. 밀다
2. 추천하다

109 추리
推 밀 추 理 다스릴 리

뜻 아는 사실을 미루어 아직 모르는 사실을 알아내려고 하는 것.

110 추진
推 밀 추 進 나아갈 진

뜻 1. 어떤 목적을 위해서 일을 계속 밀고 나가는 것. 2. 물체를 앞으로 움직이는 기계의 작용.

111 추천
推 밀 추 薦 천거할 천

뜻 어떠한 일에 알맞은 사람이나 물건을 책임지고 소개하는 것.

統 거느릴 통

1. 거느리다
2. 합치다
3. 계통

112 통계
統 거느릴 통 計 셀 계

뜻 1. 한데 몰아서 대강 짐작으로 계산함. 2. 어떤 현상을 종합적으로 한눈에 알아보기 쉽게 일정한 원칙에 따라 숫자로 나타냄. 또는 그런 것.

113 통제
統 거느릴 통 制 절제할 제

뜻 질서·제도·*규범 등을 어기지 않게 다스리는 것.

* 규범: 마땅히 따라야 할 본보기.

114 통합
統 거느릴 통 合 합할 합

뜻 모두 합쳐 하나로 만드는 것.

破 깨뜨릴 파

1. 깨뜨리다
2. 부수다
3. (일을) 망치다

115 파기
破 깨뜨릴 파 棄 버릴 기

뜻 1. 깨뜨리거나 찢어서 내버림. 2. 계약, *조약, 약속 등을 깨뜨려 버림.

* **조약**: 권리와 의무와 조건 등을 문서로 기록한 여러 나라들 사이의 약속.

116 파산
破 깨뜨릴 파 産 낳을 산

뜻 재산을 모두 잃고 망함.

비슷한 말 도산(倒 넘어질 도, 産 낳을 산)

117 파손
破 깨뜨릴 파 損 덜 손

뜻 깨어져 온전하지 못하게 하는 것.

化 될 화

1. 되다
2. 따르다
3. 달라지다

118 화석
化 될 화 石 돌 석

뜻 1. 아주 옛날의 생물의 뼈나 몸의 흔적이 돌이 되어 남아 있는 것. 2. 변화하거나 발전하지 않고 돌처럼 굳어 버린 것을 뜻하는 말.

119 화장
化 될 화 粧 단장할 장

뜻 주로 얼굴에 화장품을 바르거나 문질러 얼굴을 곱게 꾸밈.

120 화학
化 될 화 學 배울 학

뜻 물질의 성분, 구조, 물질들의 반응 등을 연구하는 자연 과학의 한 분야.

확인 문제

1~3 다음 뜻에 알맞은 한자어를 서로 연결하시오.

1 질서 · 제도 · 규범 등을 어기지 않게 다스리는 것. • • ㉮ 화장(化粧)

2 주로 얼굴에 화장품을 바르거나 문질러 얼굴을 곱게 꾸밈. • • ㉯ 화학(化學)

3 물질의 성분, 구조, 물질들의 반응 등을 연구하는 자연 과학의 한 분야. • • ㉰ 통제(統制)

4~8 주어진 한자어의 뜻을 보고 (   ) 안의 알맞은 말에 ○표 하시오.

4
뜻 계약, 조약, 약속 등을 깨뜨려 버림.
예 뉴스에서 어떤 회사가 계약 (파기, 통합)(으)로 계약금을 잃었다고 보도했다.

5
뜻 어떤 목적을 위해서 일을 계속 밀고 나가는 것.
예 우리 가족은 이번 여름 방학에 유럽으로 배낭여행을 가려고 (추진, 파손) 중이다.

6
뜻 어떠한 일에 알맞은 사람이나 물건을 책임지고 소개하는 것.
예 구형이는 우리 학급 회장으로 준혁이를 (추천, 화장)했다.

7
뜻 아는 사실을 미루어 아직 모르는 사실을 알아내려고 하는 것.
예 소설 속 범인에 대한 내 (추리, 통제)는 모두 틀렸다.

8
뜻 어떤 현상을 종합적으로 한눈에 알아보기 쉽게 일정한 원칙에 따라 숫자로 나타냄. 또는 그런 것.
예 우리나라에서는 5년마다 총 인구수 (추리, 통계)를 낸다.

9~11 알맞은 한자어를 찾으시오.

9 **다음 한자어의 뜻풀이가 알맞지 않은 것은 무엇입니까? (　　　　)**

① 통합(統合): 모두 합쳐 하나로 만드는 것.
② 파손(破損): 깨어져 온전하지 못하게 하는 것.
③ 파산(破産): 돈 · 지식 · 경험 등을 많이 모아 가지는 것.
④ 추리(推理): 아는 사실을 미루어 아직 모르는 사실을 알아내려고 하는 것.
⑤ 화석(化石): 아주 옛날의 생물의 뼈나 몸의 흔적이 돌이 되어 남아 있는 것.

10 **밑줄 그은 한자어의 쓰임이 알맞지 않은 것에 ×표 하시오.**

(1) 신라는 가야를 <u>통합</u>하면서 나라의 힘을 키워 나갔다. (　　　　)
(2) <u>화장</u>을 지운 우리 엄마의 얼굴에는 주름이 늘어 있었다. (　　　　)
(3) 미시령은 현재 눈이 많이 내려 교통 <u>통계</u>가 이루어지고 있다. (　　　　)

11 **다음 빈칸에 공통으로 들어갈 알맞은 한자어는 무엇입니까? (　　　　)**

- 삼촌은 대학에서 [　　　　]을 배운 뒤 화장품 회사에 들어갔다.
- 요즘에는 [　　　　] 성분이 섞이지 않은 천연 비누가 사람들에게 인기이다.

① 자연(自然)　② 수학(數學)　③ 화석(化石)
④ 화장(化粧)　⑤ 화학(化學)

12 주어진 한자어를 활용해 그림의 상황을 문장으로 표현하시오.

12

파손

____

____

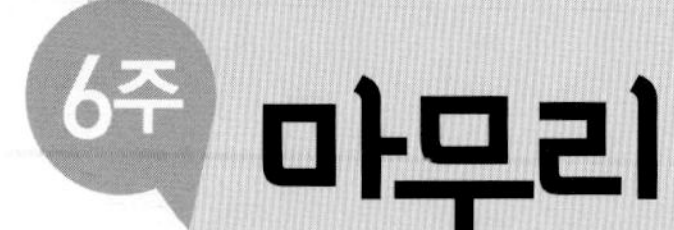

그림의 상황에 알맞은 한자어를 떠올려 □ 안에 알맞은 낱말을 쓰시오.

01

땅속에 묻힌 유물을 파내자.

발□

02

목장에서는 양들을 산과 들에 풀어놓고 키우지.

방□

03

슈우우우웅~

앗, 조심하지 않고 마음을 놓고 있었더니!

방□

04

방패로 상대의 공격을 막자.

샤악

□어

05

안의 소리가 밖으로 하나도 안 새어 나와.

소곤소곤

속닥속닥

방□

06

산불 소식이 신문과 방송을 통해 사람들에게 알려지고 있어.

보□

07

무너진 담벼락을 원래대로 고치자.

복□

08

어떤 물건이 더 좋은지 견주어 보자.

□교

09

닭이 알을 낳았어.

산□

10

슬슬 졸리네.
등불을 끄자.
쿨쿨쿨...

소☐

11

의☐

12

자☐

13

절☐

14

절☐

15

집☐

16

파☐

17

통☐

18

화☐

한자어
6주 마무리

공부한 날 월 일 정답 24 쪽

더 알아보기

한자어

“우리나라와 중국, 일본이 사용하는 한자는 모두 같을까요?”

고학년이 될수록 자꾸 한자가 발목을 잡아요. 엄마가 한자 뜻을 알면 어휘 뜻도 금방 알 수 있다면서 자꾸 한자를 공부하라고 말씀하시네요. 하지만 제가 보기에 한자는 다 그림 같아 보여서 외우기가 쉽지 않은 걸요. 옛날에 한자가 탄생하기 전에 훈민정음이 만들어졌다면 지금 이렇게 한자 공부는 안 해도 되었을 텐데. 한숨을 푹푹 쉬면서 '國(나라 국)'을 쓰고 있는데, 옆에서 고등학생 오빠가 자꾸 말을 걸어요.

이 글자는 중국어에서 이렇게 써. '国', 네가 지금 쓰고 있는 한자와 다르게 생겼지?

어? 뭐야? 한자는 중국에서 온 거 아냐? 왜 우리랑 글자가 달라?

음……. 글쎄? 너무 쓸 게 많아서 줄인 게 아닐까?

정말? 나 그럼 줄인 한자 외울래!

중국에서는 1960년대부터 본래의 복잡한 글자를 간단하게 변형시켜 '간체자'라는 한자를 만들었는데 우리나라나 홍콩, 대만 등에서는 본래의 복잡한 한자를 그대로 사용해요. 그래서 위의 대화와 같은 차이가 생긴 것이지요. 대표적인 글자 몇 개를 비교해 보면 이해가 더 쉬울 거예요.

음훈	우리나라 한자 표기	중국 한자 표기
배울 학	學	学
나라 국	國	国
길 장	長	长
나라 이름 한	韓	韩

중국에서 '간체자'를 만든 이유는 어렵고 복잡한 한자를 배우기 힘들어서 글자를 모르는 사람이 너무 많고, 글자 수가 많아서 기계화가 어려웠기 때문이에요. 그래서 글자의 획순을 줄이고 모양을 간단하게 만들었던 것이지요.

일본은 이와도 다른 형태의 한자를 쓰는데 글자의 획순을 '간체자'와는 다른 방식으로 줄인 글자를 사용합니다. 한·중·일에서 사용하는 '넓을 광'을 비교하면 아래와 같아요.

우리나라

일본

중국

그럼 중국어와 일본어를 공부할 때 한자를 다시 처음부터 외워야 할까요? 다행히 처음부터 다시 한자를 공부해야 하는 것은 아니에요. 글자를 줄여 만든 원칙과 원리가 있기 때문에 이를 파악하면 쉽게 중국어와 일본어 속의 한자도 공부할 수 있답니다.

4 한자성어

한자성어 총 80개 수록

한자성어는 옛이야기에서 전해져 내려온 한자로 이루어진 말이며, 고사성어라고도 해요. 주로 교훈이나 마음에 새겨 두어야 할 내용 등을 담고 있어요. 한자성어에 얽힌 사연을 이해한 뒤 상황에 맞게 활용하면 언어생활이 풍요로워지고 세상을 바라보는 눈도 깊어져요.

한자성어 01

01 감언이설

甘 달 감 言 말씀 언 利 이로울 이 說 말씀 설

뜻 남을 속이기 위하여 남의*비위에 맞게 이로운 듯이 꾸며서 하는 말.

* 비위: 무엇을 좋아하거나 싫어하는 기분.

02 개과천선

改 고칠 개 過 지날 과 遷 옮길 천 善 착할 선

뜻 지난날의 잘못이나 실수를 고쳐 올바르고 착하게 됨.

비슷한 말 개과자신(改 고칠 개, 過 지날 과, 自 스스로 자, 新 새 신)

03 격세지감

隔 사이 뜰 격 世 대 세 之 갈 지 感 느낄 감

뜻 오래지 않은 동안에 몰라보게 변하여 아주 다른 세상이 된 것 같은 느낌.

비슷한 말 격세감(隔 사이 뜰 격, 世 대 세, 感 느낄 감)

04 견물생심

見 볼 견 物 물건 물 生 날 생 心 마음 심

뜻 어떠한 물건을 보게 되면 그것을 가지고 싶은 욕심이 생김.

05 결초보은

結 맺을 결 草 풀 초 報 갚을 보 恩 은혜 은

뜻 죽은 뒤에라도 은혜를 잊지 않고 갚음을 뜻하는 말.

비슷한 말 결초(結 맺을 결, 草 풀 초)

06 과유불급

過 지날 과 猶 오히려 유 不 아닐 불 及 미칠 급

뜻 지나친 것은 부족한 것보다 못하다는 뜻으로, 어느 한쪽으로도 치우침이 없는 상태가 중요함을 나타내는 말.

07 괄목상대

刮 긁을 괄 目 눈 목 相 서로 상 對 대할 대

뜻 눈을 비비고 상대편을 본다는 뜻으로, 남의 지식이나 재주가 놀랄 만큼 부쩍 좋아진 것을 나타내는 말.

08 구사일생

九 아홉 구 死 죽을 사 一 한 일 生 날 생

뜻 아홉 번 죽을 뻔하다 한 번 살아난다는 뜻으로, 죽을 *고비를 여러 차례 넘기고 겨우 살아남을 나타내는 말.

비슷한 말 백사일생(百 일백 백, 死 죽을 사, 一 한 일, 生 날 생)

* 고비: 어떤 일이 진행되는 중의 가장 중요하거나 힘든 단계.

한자성어 7주 1일

확인 문제

1~2 **다음 그림에서 밑줄 그은 한자성어의 뜻으로 알맞은 것에 ○표 하시오.**

1

(1) 재주와 능력이 여러 가지로 부족함을 나타내는 말. (　　)

(2) 남의 지식이나 재주가 놀랄 만큼 부쩍 좋아진 것을 나타내는 말. (　　)

2

(1) 좋은 일 위에 또 좋은 일이 더하여짐을 뜻하는 말. (　　)

(2) 남을 속이기 위하여 남의 비위에 맞게 이로운 듯이 꾸며서 하는 말. (　　)

3~7 **주어진 한자성어의 뜻을 보고 □ 안에 알맞은 낱말을 쓰시오.**

3

뜻 죽은 뒤에라도 은혜를 잊지 않고 갚음을 뜻하는 말.

예 우리를 구해 준 그분께 반드시 □□□□할 것입니다.

4

뜻 지난날의 잘못이나 실수를 고쳐 올바르고 착하게 됨.

예 못 말리는 말썽쟁이였던 네가 모범생이 되다니 □□□□했구나!

5

뜻 어떠한 물건을 보게 되면 그것을 가지고 싶은 욕심이 생김.

예 □□□□이라고 눈앞에 음식이 있으니 자꾸 먹고 싶어진다.

6

뜻 오래지 않은 동안에 몰라보게 변하여 아주 다른 세상이 된 것 같은 느낌.

예 오랜만에 찾은 고향이 너무 달라진 모습이라 □□□□이 들었다.

7

뜻 지나친 것은 부족한 것보다 못하다는 뜻으로, 어느 한쪽으로도 치우침이 없는 상태가 중요함을 나타내는 말.

예 □□□□인 법인데, 다이어트 한다고 밥을 하나도 안 먹으면 건강을 해치게 돼.

8~10 알맞은 한자성어를 찾으시오.

8 밑줄 그은 한자성어의 쓰임이 알맞지 않은 것에 ×표 하시오.

(1) 민정이는 피나는 노력을 해서 피아노 연주 실력이 괄목상대했다. ( )

(2) 할머니께서는 스마트폰으로 책을 읽는 내게 격세지감을 느끼셨다. ( )

(3) 봄이 되면 농촌에는 일손이 턱없이 부족해서 과유불급이라 할 수 있다. ( )

9 다음 빈칸에 들어갈 알맞은 한자성어에 ○표 하시오.

> 현우: 약속 시간까지 한참 남았으니 그동안 문구점 구경이나 할까?
> 주하: [ ]이라고, 괜히 구경하다가 쓸데없이 돈을 쓸 수 있으니까 가지 말자.

(1) 견물생심(見物生心) ( ) (2) 과유불급(過猶不及) ( )

(3) 구사일생(九死一生) ( ) (4) 결초보은(結草報恩) ( )

10 다음 글의 상황과 관련 있는 한자성어는 무엇입니까? ( )

> 한 게으름뱅이가 소 탈을 쓰고 소가 되었다. 소가 된 게으름뱅이는 여름내 힘들게 고생을 하며 후회하다가 우연히 무를 먹고는 소 탈이 벗겨져 다시 인간으로 돌아왔다. 그 후 잘못을 깨달은 게으름뱅이는 부지런한 사람이 되었다.

① 격세지감(隔世之感) ② 감언이설(甘言利說) ③ 결초보은(結草報恩)
④ 개과천선(改過遷善) ⑤ 괄목상대(刮目相對)

11~12 주어진 한자성어를 활용해 그림의 상황을 문장으로 표현하시오.

11

구사일생

____

____

12

개과천선

____

____

09 구우일모

九 아홉 구 牛 소 우 一 하나 일 毛 터럭 모

뜻 아홉 마리의 소 가운데 박힌 하나의 털이란 뜻으로, 매우 많은 것 가운데 아주 적은 수를 나타내는 말.

10 군계일학

群 무리 군 鷄 닭 계 一 한 일 鶴 학 학

뜻 닭의 무리 가운데에서 한 마리의 학이란 뜻으로, 많은 사람 가운데서 뛰어난 인물을 이르는 말.

비슷한 말 계군고학(鷄 닭 계, 群 무리 군, 孤 외로울 고, 鶴 학 학), 계군일학(鷄 닭 계, 群 무리 군, 一 한 일, 鶴 학 학)

11 권선징악

勸 권할 권 善 착할 선 懲 징계할 징 惡 악 악

뜻 착한 일을 권하여 힘쓰게 하고 못되고 나쁜 일에 벌을 주는 것.

비슷한 말 권징(勸 권할 권, 懲 징계할 징), 징권(懲 징계할 징, 勸 권할 권)

12 금상첨화

錦 비단 금 上 윗 상 添 더할 첨 花 꽃 화

뜻 *비단 위에 꽃을 더한다는 뜻으로, 좋은 일 위에 또 좋은 일이 더해짐을 나타내는 말.

반대말 설상가상(雪 눈 설, 上 윗 상, 加 더할 가, 霜 서리 상)

* 비단: 명주실로 촘촘히 짠, 부드럽고 비싼 천.

13 기사회생

起 일어날 기 死 죽을 사 回 돌아올 회 生 날 생

뜻 거의 죽을 뻔하다가 다시 살아남.

14 낭중지추

囊 주머니 낭 中 가운데 중 之 갈 지 錐 송곳 추

뜻 주머니 속의 송곳이라는 뜻으로, 재능이 뛰어난 사람은 숨어 있어도 저절로 사람들에게 알려짐을 나타내는 말.

비슷한 말 추처낭중(錐 송곳 추, 處 곳 처, 囊 주머니 낭, 中 가운데 중)

15 노심초사

勞 일할 노 心 마음 심 焦 탈 초 思 생각 사

뜻 몹시 마음을 쓰며 애를 태움.

16 다다익선

多 많을 다 多 많을 다 益 더할 익 善 착할 선

뜻 많으면 많을수록 더욱 좋음.

확인 문제

1~3 다음 뜻에 알맞은 한자성어를 서로 연결하시오.

1	비단 위에 꽃을 더한다는 뜻으로, 좋은 일 위에 또 좋은 일이 더해짐을 나타내는 말.	㉮ 구우일모(九牛一毛)
2	아홉 마리의 소 가운데 박힌 하나의 털이란 뜻으로, 매우 많은 것 가운데 아주 적은 수를 나타내는 말.	㉯ 낭중지추(囊中之錐)
3	주머니 속의 송곳이라는 뜻으로, 재능이 뛰어난 사람은 숨어 있어도 저절로 사람들에게 알려짐을 나타내는 말.	㉰ 금상첨화(錦上添花)

4~8 빈칸에 들어갈 알맞은 한자성어를 **보기**에서 찾아 쓰시오.

보기
- 군계일학
- 권선징악
- 다다익선
- 기사회생
- 노심초사

4 진수는 거짓말이 밝혀질까 봐 (   )했다.

5 1 대 0으로 지고 있던 팀이 끝나기 직전에 골을 넣어 (   )했다.

6 옛이야기들은 주로 (   )을 주제로 하여 읽는 이에게 교훈을 준다.

7 많은 참가자가 있지만 실력으로 볼 때 확실히 그가 (   )이라 할 만하다.

8 독서를 좋아하는 현서에게 책은 (   )이니까 생일 선물로 책을 주면 좋을 것 같아.

9~11 알맞은 한자성어를 찾으시오.

9 다음 두 가지 상황에 모두 쓸 수 있는 한자성어는 무엇입니까? (　　　　)

- 육상 경기에서 한 선수가 특히 좋은 성적을 내었을 때
- 반 친구들이 함께한 합창 대회에서 노래를 잘하는 건하가*독창을 했을 때

*독창: 혼자서 부르는 노래. 또는 혼자서 노래를 부르는 것.

① 구우일모(九牛一毛)　② 군계일학(群鷄一鶴)　③ 권선징악(勸善懲惡)
④ 다다익선(多多益善)　⑤ 기사회생(起死回生)

10 다음 중 밑줄 그은 한자성어의 쓰임이 알맞지 않은 것은 무엇입니까? (　　　　)

① 엄마는 겨우 잠든 아기가 깰까 봐 노심초사하고 있었다.
② 이 외투는 디자인도 예쁜데 따뜻하기까지 하니 금상첨화이다.
③ 망가져서 못 쓸 줄 알았던 시계가 수리공 덕분에 기사회생했다.
④ 그 아이의 총명함은 낭중지추라 많은 사람 틈에서도 눈에 띄었다.
⑤ 착한 흥부가 복을 받고 못된 놀부가 벌을 받는 것은 다다익선이라고 할 수 있다.

11 다음 대화에서 밑줄 그은 부분과 뜻이 통하는 한자성어는 무엇입니까? (　　　　)

지홍: 우아, 우표가 정말 많다. 우표 수집이 취미인 모양이구나.
은영: 지금 네가 보고 있는 것은 내가 가진 수많은 우표 중 일부에 지나지 않아. 우리 집에는 훨씬 더 많이 있다고.

① 노심초사(勞心焦思)　② 낭중지추(囊中之錐)　③ 군계일학(群鷄一鶴)
④ 금상첨화(錦上添花)　⑤ 구우일모(九牛一毛)

한자성어 7주 2일

12 주어진 한자성어를 활용해 그림의 상황을 문장으로 표현하시오.

12

금상첨화

17 다재다능

多 많을 다 才 재주 재 多 많을 다 能 능할 능

뜻 재주와 능력이 여러 가지로 많음.

비슷한 말 다능다재(多 많을 다, 能 능할 능, 多 많을 다, 才 재주 재)

18 대기만성

大 큰 대 器 그릇 기 晩 늦을 만 成 이룰 성

뜻 큰 그릇을 만드는 데는 시간이 오래 걸린다는 뜻으로, 크게 될 사람은 늦게 이루어짐을 나타내는 말.

19 동문서답

東 동녘 동 問 물을 문 西 서녘 서 答 대답 답

뜻 물음과는 전혀 상관없는 엉뚱한 대답.

비슷한 말 문동답서(問 물을 문, 東 동녘 동, 答 대답 답, 西 서녘 서)

20 동상이몽

同 한가지 동 床 평상 상 異 다를 이 夢 꿈 몽

뜻 같은 자리에 자면서 다른 꿈을 꾼다는 뜻으로, 겉으로는 같이 행동하면서도 속으로는 각각 딴생각을 하고 있음을 나타내는 말.

비슷한 말 동상각몽(同 한가지 동, 床 평상 상, 各 각각 각, 夢 꿈 몽)

21 마이동풍

馬 말 마 耳 귀 이 東 동녘 동 風 바람 풍

뜻 동쪽에서 부는 바람이 말의 귀를 스쳐 간다는 뜻으로, 남의 의견이나 충고를 귀담아듣지 않고 지나쳐 흘려버림을 나타내는 말.

22 막상막하

莫 없을 막 上 윗 상 莫 없을 막 下 아래 하

뜻 누가 더 낫고 누가 더 못한지를 가리기 어려울 만큼 차이가 거의 없음.

비슷한 말 난형난제(難 어려울 난, 兄 형 형, 難 어려울 난, 弟 아우 제)

23 막역지우

莫 없을 막 逆 거스릴 역 之 갈 지 友 벗 우

뜻 서로 *거스름이 없는 친구라는 뜻으로, 체면을 생각하거나 조심할 필요 없이 아주 친한 친구를 나타내는 말.

24 문일지십

聞 들을 문 一 한 일 知 알 지 十 열 십

뜻 하나를 듣고 열 가지를 미루어 안다는 뜻으로, 아주 영리하고 재주가 있음을 나타내는 말.

비슷한 말 하나를 듣고 열을 안다

* 거스름: 남의 기분을 상하게 함.

한자 성어

7주 3일

확인 문제

1~3 다음 뜻에 해당하는 한자성어를 보기 에서 찾아 쓰시오.

보기
• 대기만성 • 동상이몽 • 마이동풍

1 큰 그릇을 만드는 데는 시간이 오래 걸린다는 뜻으로, 크게 될 사람은 늦게 이루어짐을 나타내는 말.
→ (   )

2 동쪽에서 부는 바람이 말의 귀를 스쳐 간다는 뜻으로, 남의 의견이나 충고를 귀담아듣지 않고 지나쳐 흘려버림을 나타내는 말.
→ (   )

3 같은 자리에 자면서 다른 꿈을 꾼다는 뜻으로, 겉으로는 같이 행동하면서도 속으로는 각각 딴생각을 하고 있음을 나타내는 말.
→ (   )

4~8 밑줄 그은 한자성어와 바꾸어 쓸 수 있는 말이면 ○표, 아니면 ×표 하시오.

4 모차르트는 <u>다재다능</u>한 천재 예술가이다.
→ 재주와 능력이 많은 (   )

5 태준이와 유민이의 축구 실력은 <u>막상막하</u>이다.
→ 하늘과 땅 차이 (   )

6 계속된 혜영이의 <u>동문서답</u>에 민지는 결국 짜증을 냈다.
→ 엉뚱한 대답 (   )

7 그 사람은 어려서부터 <u>문일지십</u>의 재능이 있는 것으로 유명했다.
→ 하나를 듣고 열을 아는 (   )

8 예지와 기정이는 싸울 때도 있었지만 뜻이 잘 맞는 <u>막역지우</u>였다.
→ 형제 사이 (   )

9~11 알맞은 한자성어를 찾으시오.

9 다음 한자성어와 관련 있는 동물은 무엇입니까? (　　　)

마이동풍(馬耳東風)

① 양　② 말　③ 소
④ 독수리　⑤ 고양이

10 밑줄 그은 한자성어의 쓰임이 알맞지 않은 것에 ×표 하시오.

(1) 그들은 늘 붙어 다니는 듯해도 각자의 마음속은 동상이몽이다. (　　　)
(2) 인공 지능이 발달함에 따라 다재다능한 로봇이 많이 만들어지고 있다. (　　　)
(3) 유치원 때부터 단짝이던 은영이와 나는 지금도 문일지십으로 잘 지내고 있다. (　　　)

11 다음 빈칸에 들어갈 알맞은 한자성어에 ○표 하시오.

주영: 어제 개봉한 영화 봤니? 주인공 역을 맡은 배우의 연기가 기억에 남더라.
광호: 맞아. 그 배우는 이름이 알려지지 않은 채 오랜 세월을 보내고 이제야 사람들에게 인정을 받은 [　　　] 형이라서 더 멋있는 것 같아.

(1) 대기만성(大器晩成) (　　　)
(2) 동문서답(東問西答) (　　　)
(3) 막상막하(莫上莫下) (　　　)

12 주어진 한자성어를 활용해 그림의 상황을 문장으로 표현하시오.

12

동문서답

____

____

25 박장대소

拍 칠 박 掌 손바닥 장 大 클 대 笑 웃음 소

뜻 손뼉을 치며 크게 웃음.

비슷한 말 박소(拍 칠 박, 笑 웃음 소)

26 배은망덕

背 배반할 배 恩 은혜 은 忘 잊을 망 德 덕 덕

뜻 남에게 입은 은혜를 저버리고*배신하는 태도가 있음.

* **배신하는**: 자기를 믿어 주는 사람을 속이는.

27 백발백중

百 일백 백 發 필 발 百 일백 백 中 가운데 중

뜻 1. 백 번 쏘아 백 번 맞힌다는 뜻으로, 총이나 활 등을 쏠 때마다 겨눈 곳에 다 맞음을 나타내는 말. 2. 어떤 계획이나 예상 등이 틀림없이 잘 들어맞음.

28 사면초가

四 넉 사 面 낯 면 楚 초나라 초 歌 노래 가

뜻 아무에게도 도움을 받지 못하는, 외롭고 곤란한 상황에 빠진 형편을 뜻하는 말.

비슷한 말 초가(楚 초나라 초, 歌 노래 가)

29 사필귀정

事 일 사 必 반드시 필 歸 돌아갈 귀 正 바를 정

뜻 세상의 일이 당장에는 분명하게 가려지지 않아도 결국에는 반드시 바른길로 돌아감.

30 살신성인

殺 죽일 살 身 몸 신 成 이룰 성 仁 어질 인

뜻 옳은 일을 위하여 자기 몸을 희생함.

비슷한 말 살신입절(殺 죽일 살, 身 몸 신, 立 설 입, 節 마디 절)

31 삼인성호

三 석 삼 人 사람 인 成 이룰 성 虎 범 호

뜻 세 사람이 짜면 거리에 호랑이가 나왔다는 거짓말도 꾸밀 수 있다는 뜻으로, 근거 없는 말이라도 여러 사람이 말하면 그대로 믿게 됨을 나타내는 말.

비슷한 말 삼인성시호(三 석 삼, 人 사람 인, 成 이룰 성, 市 저자 시, 虎 범 호), 시호(市 저자 시, 虎 범 호)

32 상부상조

相 서로 상 扶 도울 부 相 서로 상 助 도울 조

뜻 서로서로 도움.

한자 성어 7주 4일

확인 문제

1~2 다음 그림에서 밑줄 그은 한자성어의 뜻으로 알맞은 것에 ○표 하시오.

1

흙탕물에 빠졌구나? 깔깔깔!

이게 그렇게 박장대소할 일이야?

깔깔깔

(1) 손뼉을 치며 크게 웃음. (　　)

(2) 좋은 일에는 좋은 결과가, 나쁜 일에는 나쁜 결과가 따름. (　　)

2

(1) 어떤 계획이나 예상 등이 틀림없이 잘 들어맞음. (　　)

(2) 어디에 있는지를 알 수 없거나 어떻게 해야 할지를 모름. (　　)

3~7 주어진 한자성어의 뜻을 보고 □ 안에 알맞은 낱말을 쓰시오.

3 뜻 서로서로 도움.

예 꽃은 곤충에게 꿀을 주고 곤충은 꽃의 번식을 도와 □□□□한다.

4 뜻 옳은 일을 위하여 자기 몸을 희생함.

예 이 고비를 넘기기 위해서 우리 모두 □□□□하려는 자세가 필요하다.

5 뜻 남에게 입은 은혜를 저버리고 배신하는 태도가 있음.

예 자신을 돌봐 준 나에게 사기를 치다니, □□□□하구나!

6 뜻 세상의 일이 당장에는 분명하게 가려지지 않아도 결국에는 반드시 바른길로 돌아감.

예 지금은 어려운 상황에 있지만 □□□□이 될 터이니 조금만 참자.

7 뜻 아무에게도 도움을 받지 못하는, 외롭고 곤란한 상황에 빠진 형편을 뜻하는 말.

예 몰려든 적군에게 둘러싸인 장군은 □□□□의 상태에 처했다.

8~10 알맞은 한자성어를 찾으시오.

8 ㉠~㉢ 중 빈칸에 들어갈 한자성어가 다른 것을 찾아 기호를 쓰시오.

㉠ [　　　](이)라는 말처럼 너의 억울함이 곧 밝혀지리라 믿는다.
㉡ 처음에는 잘못된 것처럼 보여도 모든 일은 [　　　]하기 마련이다.
㉢ [　　　](이)라고 했으니, 거짓말도 여럿이 말하면 사실이 되는 법이다.

(　　　　　)

9 밑줄 그은 한자성어의 쓰임이 알맞지 않은 것에 ×표 하시오.

(1) 배우들의 재치 있는 말에 관객석에서 박장대소가 터졌다. (　　)
(2) 살신성인의 정신을 발휘한 소방관의 이야기에 사람들은 고개를 숙였다. (　　)
(3) 너희가 서로 도와 어려움을 헤쳐 나가는 모습은 사면초가라고 할 수 있다. (　　)

한자성어

7주 4일

10 다음 글에서 밑줄 그은 부분과 뜻이 통하는 한자성어는 무엇입니까? (　　　)

옛날 한 아이가 알에서 태어났다. 아이가 일곱 살이 되었을 때, 활을 쏘면 쏘는 대로 과녁을 다 맞혔다. 사람들은 아이를 활을 잘 쏘는 사람이란 뜻으로 '주몽'이라 불렀다.

① 박장대소(拍掌大笑)　② 백발백중(百發百中)　③ 배은망덕(背恩忘德)
④ 사면초가(四面楚歌)　⑤ 삼인성호(三人成虎)

11~12 주어진 한자성어를 활용해 그림의 상황을 문장으로 표현하시오.

11

배은망덕

12

상부상조

33 새옹지마

塞 변방 새 翁 늙은이 옹 之 갈 지 馬 말 마

뜻 인생의 좋은 일과 나쁜 일, 행복한 일과 불행한 일은 변화가 많아서 미리 짐작할 수 없다는 말.

비슷한 말 새옹마(塞 변방 새, 翁 늙은이 옹, 馬 말 마)

34 선견지명

先 먼저 선 見 볼 견 之 갈 지 明 밝을 명

뜻 어떤 일이 일어나기 전에 미리 앞을 내다보고 아는 지혜.

35 설상가상

雪 눈 설 上 윗 상 加 더할 가 霜 서리 상

뜻 눈 위에 *서리가 덮인다는 뜻으로, 어려운 일이나 불행한 일이 연달아 일어남을 이르는 말.

비슷한 말 설상가설(雪 눈 설, 上 윗 상, 加 더할 가, 雪 눈 설)

* **서리**: 날씨가 추워져서 대기 중의 수증기가 그대로 얼어 사물에 하얗게 엉겨 붙은 가루 모양의 얼음.

36 소탐대실

小 작을 소 貪 탐낼 탐 大 큰 대 失 잃을 실

뜻 작은 것을 탐내다가 큰 것을 잃음.

반대말 사소취대(捨 버릴 사, 小 작을 소, 取 가질 취, 大 클 대)

37 속수무책
束 묶을 속 手 손 수 無 없을 무 策 꾀 책

뜻 손을 묶은 것처럼 어찌할 방법이 없어 꼼짝 못 함.

비슷한 말 속수(束 묶을 속, 手 손 수)

38 수수방관
袖 소매 수 手 손 수 傍 곁 방 觀 볼 관

뜻 팔짱을 끼고 보고만 있다는 뜻으로, 어떤 일에 직접 나서서 거들지 않고 그대로 버려둠을 나타내는 말.

39 수어지교
水 물 수 魚 물고기 어 之 갈 지 交 사귈 교

뜻 1. 물이 없으면 살 수 없는 물고기와 물의 관계라는 뜻으로, 아주 친밀하여 떨어질 수 없는 사이를 나타내는 말. 2. 임금과 신하 또는 부부의 친밀함을 나타내는 말.

40 신출귀몰
神 귀신 신 出 날 출 鬼 귀신 귀 沒 빠질 몰

뜻 귀신같이 나타났다가 사라진다는 뜻으로, 그 움직임을 쉽게 알 수 없을 만큼 자유롭게 나타나고 사라짐을 표현하는 말.

한자 성어 7주 5일

확인 문제

1~3 다음 뜻에 알맞은 한자성어를 서로 연결하시오.

1 작은 것을 탐내다가 큰 것을 잃음. • ㉮ 선견지명(先見之明)

2 손을 묶은 것처럼 어찌할 방법이 없어 꼼짝 못 함. • ㉯ 속수무책(束手無策)

3 어떤 일이 일어나기 전에 미리 앞을 내다보고 아는 지혜. • ㉰ 소탐대실(小貪大失)

4~8 빈칸에 들어갈 알맞은 한자성어를 보기에서 찾아 쓰시오.

보기
- 새옹지마
- 설상가상
- 수수방관
- 수어지교
- 신출귀몰

4 두 사람은 (　　　　　　)라고 할 만큼 서로 없어서는 안 될 사이이다.

5 목감기에 걸려 기침을 심하게 했는데 (　　　　　　)으로 열까지 나기 시작했다.

6 동생이 물병을 엎어 온 마루가 젖었는데도 형은 그저 (　　　　　　)만 하고 있었다.

7 홍길동은 (　　　　　　)의 재주로 동에 번쩍 서에 번쩍 하며 어려운 백성을 도왔다.

8 (　　　　　　)라는 말처럼 일이 앞으로 어떻게 될지 모르니 좀 더 꼼꼼히 살펴야겠어.

9~11 알맞은 한자성어를 찾으시오.

9 다음 한자성어와 관련 있는 관계를 나타낸 것은 무엇입니까? (　　　　)

> 수어지교(水魚之交)

① 친분이 없어 서로 어색한 사이
② 서로 필요할 때만 만나는 사이
③ 아주 친밀하여 떨어질 수 없는 사이
④ 크게 싸워서 다시는 보지 않기로 한 사이
⑤ 겉으로는 친한 척하지만 속으로는 미워하는 사이

10 밑줄 그은 한자성어의 쓰임이 알맞은 것에 ○표 하시오.

(1) 반장이 혼자서 청소하는 모습을 수수방관만 할 수 없어 팔을 걷어붙였다. (　　　　)
(2) 우리는 거센 파도에 휩쓸려 가는 나룻배를 신출귀몰로 바라볼 수밖에 없었다. (　　　　)
(3) 눈보라 때문에 길을 찾기 힘들었는데 선견지명으로 주위마저 어두워지기 시작했다. (　　　　)

한자 성어

7주 5일

11 다음 밑줄 그은 부분과 뜻이 통하는 한자성어는 무엇입니까? (　　　　)

> 주원: 집에 있던 빵을 동생에게 나누어 주지 않으려고 혼자 다 먹었는데, 아빠가 피자를 사 오신 거 있지? 피자는 결국 배가 불러서 하나도 못 먹었어.
> 은유: 눈앞의 빵을 욕심내다가 더 맛있는 피자를 놓쳤구나.

① 선견지명(先見之明)　② 설상가상(雪上加霜)　③ 소탐대실(小貪大失)
④ 속수무책(束手無策)　⑤ 수어지교(水魚之交)

12 주어진 한자성어를 활용해 그림의 상황을 문장으로 표현하시오.

12

설상가상

____

____

7주 마무리

그림의 상황에 알맞은 한자성어를 떠올려 □ 안에 알맞은 낱말을 쓰시오.

01

견□생□

02

□유□급

03

군□일□

04

권□징□

05

□문□답

06

막□□하

07

배 □ 망 □

08

□ □ 초가

09

살 □ 성 □

10

□ 견 □ 명

11

□ 상 □ 상

12

속 □ 무 □

41 아전인수

我 나 아 田 밭 전 引 끌 인 水 물 수

뜻 자기*논에만 물을 끌어들인다는 뜻으로, 자기에게만 이롭게 되도록 생각하거나 행동함을 나타내는 말.

비슷한 말 제 논에 물 대기

* **논**: 물을 막아 두고 벼농사를 짓는 땅.

42 안하무인

眼 눈 안 下 아래 하 無 없을 무 人 사람 인

뜻 눈 아래에 사람이 없다는 뜻으로, 자기가 가장 잘난 듯이 다른 사람을 깔보는 것을 나타내는 말.

비슷한 말 안중무인(眼 눈 안, 中 가운데 중, 無 없을 무, 人 사람 인)

43 오리무중

五 다섯 오 里 마을 리 霧 안개 무 中 가운데 중

뜻 오*리나 되는 짙은 안개 속에 있다는 뜻으로, 어디에 있는지 알 수 없거나 어찌해야 할지를 모름을 나타내는 말.

* **리**: 땅 위의 거리를 세는 말. 1리는 약 393미터.

44 십중팔구

十 열 십 中 가운데 중 八 여덟 팔 九 아홉 구

뜻 열 가운데 여덟이나 아홉 정도로 거의 대부분이거나 거의 틀림없음.

비슷한 말 십상팔구(十 열 십, 常 항상 상, 八 여덟 팔, 九 아홉 구)

45 어부지리

漁 고기 잡을 어 夫 지아비 부 之 갈 지 利 이로울 리

뜻 둘이 다투고 있는 사이에 엉뚱한 사람이 그 이익을 가로채는 것. 또는 그 이익.

비슷한 말 어리(漁 고기 잡을 어, 利 이로울 리), 어인지공(漁 고기 잡을 어, 人 사람 인, 之 갈 지, 功 공 공)

46 역지사지

易 바꿀 역 地 땅 지 思 생각 사 之 갈 지

뜻 다른 사람과 자신의 입장을 바꾸어서 생각하여 봄.

47 오매불망

寤 잠깰 오 寐 잘 매 不 아닐 불 忘 잊을 망

뜻 1. 자나 깨나 잊지 못함. 2. 자나 깨나 잊지 못하여.

48 오십보백보

五 다섯 오 十 열 십 步 걸음 보 百 일백 백 步 걸음 보

뜻 조금 낫고 못한 정도의 차이는 있으나 결과적으로는 차이가 없음을 뜻하는 말.

비슷한 말 오십소백(五 다섯 오, 十 열 십, 笑 웃음 소, 百 일백 백)

한자성어 8주 1일

확인 문제

1~3 다음 뜻에 해당하는 한자성어를 보기 에서 찾아 쓰시오.

보기
- 오리무중
- 어부지리
- 오매불망
- 아전인수

1 둘이 다투고 있는 사이에 엉뚱한 사람이 그 이익을 가로채는 것. 또는 그 이익.
→ (　　　　　　　　)

2 자기 논에만 물을 끌어들인다는 뜻으로, 자기에게만 이롭게 되도록 생각하거나 행동함을 나타내는 말.
→ (　　　　　　　　)

3 오 리나 되는 짙은 안개 속에 있다는 뜻으로, 어디에 있는지 알 수 없거나 어찌해야 할지를 모름을 나타내는 말.
→ (　　　　　　　　)

4~8 밑줄 그은 한자성어와 바꾸어 쓸 수 있는 말이면 ○표, 아니면 ×표 하시오.

4 너와 소은이의 영어 실력은 <u>오십보백보</u>이다.
→ 거기서 거기 (　　)

5 그 사람은 돈을 벌어 부자가 되더니 <u>안하무인</u>이 되었다.
→ 겸손한 사람 (　　)

6 두 사람은 <u>역지사지로</u> 상대의 말에 귀를 기울일 필요가 있다.
→ 입장을 바꾸어 (　　)

7 할아버지께서는 고향에 두고 온 가족을 <u>오매불망</u> 그리워하셨다.
→ 자나 깨나 잊지 못하고 (　　)

8 이 지역을 찾은 여행객 중 <u>십중팔구</u>는 다시 이곳을 찾는다고 한다.
→ 극히 일부 (　　)

9~11 알맞은 한자성어를 찾으시오.

9 밑줄 그은 한자성어의 쓰임이 알맞지 않은 것은 무엇입니까? (　　　　)

① 우리 동네 아이들은 십중팔구 그 학교에 다닌다.
② 안하무인이라 손가락질을 받던 그가 하루아침에 새사람이 되었다.
③ 역지사지해 본다면 내가 왜 그런 말을 했는지 이해할 수 있을 거야.
④ 그 사고가 일어난 지 일주일이 지났지만 사고 원인은 오매불망이었다.
⑤ 그 말을 너에게만 이롭게 되도록 그렇게 해석하다니 아전인수가 따로 없구나.

10 다음 빈칸에 들어갈 알맞은 말에 ○표 하시오.

> 혜미: 둘 중 어느 길로 가는 것이 더 빠를지 고민이 되네. 네 생각은 어때?
> 유하: 둘 다 [　　　](이)라서 별 차이 없을 거야.

(1) 오리무중(五里霧中) (　　　)　(2) 역지사지(易地思之) (　　　)
(3) 아전인수(我田引水) (　　　)　(4) 오십보백보(五十步百步) (　　　)

11 다음 글의 상황과 관련 있는 한자성어는 무엇입니까? (　　　　)

> 어느 바닷가에서 조개가 입을 벌려 햇볕을 쬐고 있었다. 그때 황새가 날아와 조갯살을 쪼아 먹으려 했다. 그러자 조개는 입을 다물어 황새 주둥이를 물어 버렸다. 조개와 황새는 서로 먼저 놓으라며 다투었다. 그 모습을 본 어부는 힘들이지 않고 조개와 황새를 모두 잡을 수 있었다.

① 십중팔구(十中八九)　② 어부지리(漁父之利)　③ 안하무인(眼下無人)
④ 오매불망(寤寐不忘)　⑤ 오리무중(五里霧中)

12 주어진 한자성어를 활용해 그림의 상황을 문장으로 표현하시오.

12

도둑이 어디로 도망쳤는지
도무지 알 수가 없군.

오리무중

____

____

49 온고지신

溫 따뜻할 온 故 연고 고 知 알 지 新 새 신

뜻 옛것을 익혀서 그것을 통해 새로운 것을 알게 됨.

50 와신상담

臥 누울 와 薪 섶 신 嘗 맛볼 상 膽 쓸개 담

뜻 불편한*섶에 몸을 눕히고 쓸개를 맛본다는 뜻으로, 원수를 갚거나 마음먹은 일을 이루기 위하여 온갖 어려움과 괴로움을 참고 견딤을 나타내는 말.

* **섶**: 땔감으로 쓰는, 잎·꽃·열매 등이 붙어 있는 채로 잘라 말린 나뭇가지나 키 큰 풀.

51 외유내강

外 바깥 외 柔 부드러울 유 內 안 내 剛 굳셀 강

뜻 겉으로는 부드럽고 순하게 보이지만 속은 곧고 굳셈.

반대말 외강내유(外 바깥 외, 剛 굳셀 강, 內 안 내, 柔 부드러울 유)

52 우유부단

優 넉넉할 우 柔 부드러울 유 不 아닐 부 斷 끊을 단

뜻 얼른 결정하거나 행동하지 못하고 우물쭈물하는 데가 있음.

53 유비무환

有 있을 유 備 갖출 비 無 없을 무 患 근심 환

뜻 미리 준비가 되어 있으면 걱정할 것이 없음.

54 이심전심

以 써 이 心 마음 심 傳 전할 전 心 마음 심

뜻 마음과 마음으로 서로 뜻이 통함.

비슷한 말 심심상인(心 마음 심, 心 마음 심, 相 서로 상, 印 도장 인)

55 인과응보

因 인할 인 果 열매 과 應 응할 응 報 갚을 보

뜻 좋은 일에는 좋은 결과가, 나쁜 일에는 나쁜 결과가 따름.

비슷한 말 인과보응(因 인할 인, 果 열매 과, 報 갚을 보, 應 응할 응)

56 일석이조

一 한 일 石 돌 석 二 두 이 鳥 새 조

뜻 돌 한 개를 던져 새 두 마리를 잡는다는 뜻으로, 한 가지의 일을 통해 동시에 두 가지 이득을 얻는 것을 나타내는 말.

비슷한 말 일거양득(一 한 일, 擧 들 거, 兩 두 양, 得 얻을 득)

확인 문제

1~2 다음 그림에서 밑줄 그은 한자성어의 뜻으로 알맞은 것에 ○표 하시오.

1

무엇을 먹을지 못 고르겠어.

그렇게 우유부단해서 언제 밥 먹을래?

(1) 얼른 결정하거나 행동하지 못하고 우물쭈물하는 데가 있음. (　　)

(2) 그때그때 처한 상황에 맞추어 즉시 그 자리에서 결정하거나 처리함. (　　)

2

(1) 잘못한 사람이 아무 잘못도 없는 사람을 나무람. (　　)

(2) 좋은 일에는 좋은 결과가, 나쁜 일에는 나쁜 결과가 따름. (　　)

3~7 주어진 한자성어의 뜻을 보고 □ 안에 알맞은 낱말을 쓰시오.

3 뜻 마음과 마음으로 서로 뜻이 통함.

예 예지와 나는 □□□□으로 모든 것이 잘 통했다.

4 뜻 옛것을 익혀서 그것을 통해 새로운 것을 알게 됨.

예 우리는 고전 문학을 읽으며 □□□□의 깨달음을 얻을 수 있다.

5 뜻 미리 준비가 되어 있으면 걱정할 것이 없음.

예 □□□□인 법이니 태풍이 올 때를 대비하여 준비를 단단히 하자.

6 뜻 겉으로는 부드럽고 순하게 보이지만 속은 곧고 굳셈.

예 그는 □□□□이기 때문에 작은 일에 쉽게 흔들리지 않는다.

7 뜻 원수를 갚거나 마음먹은 일을 이루기 위하여 온갖 어려움과 괴로움을 참고 견딤을 나타내는 말.

예 이번에는 □□□□의 노력을 기울였으니까 반드시 우승할 것이다.

8~10 알맞은 한자성어를 찾으시오.

8 ㉠~㉢ 중 빈칸에 들어갈 한자성어가 다른 것을 찾아 기호를 쓰시오.

㉠ 회장이 결단성 없이 [　　　]한 탓에 회원들이 피해를 본다.
㉡ 그는 평소 [　　　]해 보이지만 사실은 딱 잘라서 결정하는 성격이다.
㉢ 선비들은 부드러우면서도 강한 난초가 [　　　]의 특성을 지녔다고 생각했다.

(　　　　　　　　)

9 밑줄 그은 한자성어의 쓰임이 알맞지 않은 것에 ×표 하시오.

(1) 형은 시험에 떨어진 뒤 <u>와신상담</u>하며 밤새워 공부했다. (　　　)
(2) 어려운 상황이 오기 전에 <u>유비무환</u>의 정신으로 저축을 하자. (　　　)
(3) 네게 전화하려던 중에 너에게서 전화가 오다니, <u>인과응보</u>로구나! (　　　)

10 다음 글에서 밑줄 그은 부분과 뜻이 통하는 한자성어는 무엇입니까? (　　　)

우리 조상들이 김치를 보관하던 김장독은 식품의*발효와 저장에 효과적이었다. 이러한 김장독의 장점을 연구하여 오늘날의 김치냉장고가 만들어졌다. 김치냉장고는 <u>우리의 전통을 바탕으로 하여 새롭게 만들어진</u> 현대의 문물이라 할 수 있다.

* **발효**: 미생물 등의 작용으로 물질이 화학적으로 변화하는 현상.

① 외유내강(外柔內剛)　② 와신상담(臥薪嘗膽)　③ 이심전심(以心傳心)
④ 일석이조(一石二鳥)　⑤ 온고지신(溫故知新)

11~12 주어진 한자성어를 활용해 그림의 상황을 문장으로 표현하시오.

11

이심전심

____

____

12

일석이조

____

____

한자 성어 8주 2일

57 일장춘몽

一 한 일 場 마당 장 春 봄 춘 夢 꿈 몽

뜻 한바탕의 봄꿈이라는 뜻으로, 인간 세상의 헛됨과 허무함을 나타내는 말.

58 일취월장

日 날 일 就 나아갈 취 月 달 월 將 장수 장

뜻 날이 가고 달이 갈수록 자라거나 발전함.

비슷한 말 일장월취(日 날 일, 將 장수 장, 月 달 월, 就 나아갈 취), 일취(日 날 일, 就 나아갈 취)

59 임기응변

臨 임할 임 機 틀 기 應 응할 응 變 변할 변

뜻 그때그때 처한 상황에 맞추어 곧바로 그 자리에서 결정하거나 처리함.

비슷한 말 응변(應 응할 응, 變 변할 변), 임시응변(臨 임할 임, 時 때 시, 應 응할 응, 變 변할 변)

60 자포자기

自 스스로 자 暴 사나울 포 自 스스로 자 棄 버릴 기

뜻 절망에 빠져 자신을 스스로 포기하고 돌아보지 않음.

비슷한 말 자기(自 스스로 자, 棄 버릴 기), 자포(自 스스로 자, 暴 사나울 포), 포기(暴 사나울 포, 棄 버릴 기)

61 적반하장

賊 도둑 적 反 돌이킬 반 荷 꾸짖을 하 杖 지팡이 장

뜻 도둑이 오히려 매를 든다는 뜻으로, 잘못한 사람이 아무 잘못도 없는 사람을 나무람을 나타내는 말.

62 전화위복

轉 구를 전 禍 재앙 화 爲 할 위 福 복 복

뜻 *재앙과 근심, 걱정이 바뀌어 오히려 복이 됨.

비슷한 말 반화위복(反 돌이킬 반, 禍 재앙 화, 爲 할 위, 福 복 복), 화전위복(禍 재앙 화, 轉 구를 전, 爲 할 위, 福 복 복)

* **재앙**: 자연환경이 갑자기 크게 변하거나 전쟁 등으로 생긴 매우 불행한 큰 사고.

63 절차탁마

切 끊을 절 磋 갈 차 琢 다듬을 탁 磨 갈 마

뜻 옥이나 돌 등을 갈고 닦아서 빛을 낸다는 뜻으로, 부지런히 학문과 덕을 닦음을 나타내는 말.

비슷한 말 절마(切 끊을 절, 磨 갈 마)

64 조변석개

朝 아침 조 變 변할 변 夕 저녁 석 改 고칠 개

뜻 아침저녁으로 뜯어고친다는 뜻으로, 계획이나 결정 등을 *일관성이 없이 자주 고침을 나타내는 말.

* **일관성**: 생각이나 행동에서 처음부터 끝까지 한결같은 성질.

한자 성어 8주 3일

확인 문제

1~3 다음 뜻에 알맞은 한자성어를 서로 연결하시오.

1	옥이나 돌 등을 갈고 닦아서 빛을 낸다는 뜻으로, 부지런히 학문과 덕을 닦음을 나타내는 말. •	• ㉮	적반하장(賊反荷杖)
2	도둑이 오히려 매를 든다는 뜻으로, 잘못한 사람이 아무 잘못도 없는 사람을 나무람을 나타내는 말. •	• ㉯	절차탁마(切磋琢磨)
3	아침저녁으로 뜯어고친다는 뜻으로, 계획이나 결정 등을 일관성이 없이 자주 고침을 나타내는 말. •	• ㉰	조변석개(朝變夕改)

4~8 빈칸에 들어갈 알맞은 한자성어를 보기에서 찾아 쓰시오.

보기
- 일장춘몽
- 일취월장
- 임기응변
- 자포자기
- 전화위복

4 그는 뛰어난 (　　　　　　　　　　)으로 위기에서 벗어났다.

5 태환이가 한번 마음을 먹고 공부에 전념하니 (　　　　　　　　　　)이었다.

6 지금의 어려움을 (　　　　　　　　　　)의 계기로 삼아 앞으로 나아가야 합니다.

7 큰 성공을 목표로 했던 계획은 슬프게도 (　　　　　　　　　　)으로 끝나 버렸다.

8 실패가 거듭될수록 될 대로 되라지 하는 (　　　　　　　　　　)의 심정이 되었다.

9~11 알맞은 한자성어를 찾으시오.

9 다음 한자성어와 관련 있는 사람을 찾아 ○표 하시오.

일취월장(日就月將)

(1) 날마다 공부하지만 성적이 제자리걸음이라서 고민인 학생 (　　　)
(2) 온갖 노력을 하였지만 연구 결과를 얻는 데에 실패한 과학자 (　　　)
(3) 매일 힘들게 훈련하여 실력이 금세 빼어나게 좋아진 육상 선수 (　　　)

10 다음 중 밑줄 그은 한자성어의 쓰임이 알맞지 않은 것은 무엇입니까? (　　　)

① 당황했지만 임기응변을 발휘하여 고비를 잘 벗어났다.
② 모든 것이 끝났다며 일장춘몽 하기에는 아직 너무 이르다.
③ 그는 자신의 실력이 부족함을 깨닫고 절차탁마하기로 결심했다.
④ 새로 정한 교통 법규를 한 달만에 바꾸다니, 조변석개도 이만저만이 아니다.
⑤ 물에 빠진 사람을 구해 줬는데 제 보따리를 내놓으라니, 적반하장이 따로 없네.

11 다음 빈칸에 들어갈 알맞은 한자성어는 무엇입니까? (　　　)

혜영: 아침에 늦잠을 자서 버스를 놓쳤는데, 내가 놓친 그 버스가 교통사고를 당한 거 있지.
준기: [　　　](이)라더니, 버스를 놓친 것이 오히려 다행이었네.

① 일장춘몽(一場春夢)　② 임기응변(臨機應變)　③ 자포자기(自暴自棄)
④ 적반하장(賊反荷杖)　⑤ 전화위복(轉禍爲福)

12 주어진 한자성어를 활용해 그림의 상황을 문장으로 표현하시오.

12

자포자기

____

____

한자 성어

8주 3일

65 조삼모사

朝 아침 조 三 석 삼 暮 저물 모 四 넉 사

뜻 나쁜 꾀로 남을 속여 제멋대로 가지고 노는 것을 뜻하는 말.

비슷한 말 조삼(朝 아침 조, 三 석 삼)

66 주객전도

主 주인 주 客 손 객 顚 엎드러질 전 倒 넘어질 도

뜻 주인과 손님의 위치가 서로 뒤바뀐다는 뜻으로, 사물의 중요함과 중요하지 않음·먼저와 나중·느림과 빠름 등이 서로 뒤바뀜을 나타내는 말.

67 죽마고우

竹 대 죽 馬 말 마 故 연고 고 友 벗 우

뜻 대나무로 만든 말을 타고 놀던 친구라는 뜻으로, 어릴 때부터 같이 놀며 자란 친구.

비슷한 말 죽마교우(竹 대 죽, 馬 말 마, 交 사귈 교, 友 벗 우)

68 진퇴양난

進 나아갈 진 退 물러날 퇴 兩 두 양 難 어려울 난

뜻 이러지도 저러지도 못하는 어려운 처지.

비슷한 말 진퇴무로(進 나아갈 진, 退 물러날 퇴, 無 없을 무, 路 길 로)

69 천신만고

千 일천 천 辛 매울 신 萬 일만 만 苦 쓸 고

뜻 천 가지 매운 것과 만 가지 쓴 것이라는 뜻으로, 온갖 어려움을 다 겪으며 심하게 고생함을 나타내는 말.

70 청출어람

靑 푸를 청 出 날 출 於 어조사 어 藍 쪽 람

뜻 *쪽에서 뽑아낸 푸른 물감이 쪽보다 더 푸르다는 뜻으로, 제자나 후배가 스승이나 선배보다 나은 것을 나타내는 말.

비슷한 말 출람(出 날 출, 藍 쪽 람)

* 쪽: 잎이 어긋나고 달걀 모양인 한해살이풀. 잎은 남색 물감의 원료로 쓰임.

71 칠전팔기

七 일곱 칠 顚 엎드러질 전 八 여덟 팔 起 일어날 기

뜻 일곱 번 넘어지고 여덟 번 일어난다는 뜻으로, 여러 번 실패하여도 굽히지 않고 꾸준히 노력함을 나타내는 말.

72 타산지석

他 다를 타 山 뫼 산 之 갈 지 石 돌 석

뜻 다른 산의 나쁜 돌이라도 자신의 산의 *옥돌을 가는 데에 쓸 수 있다는 뜻으로, 남의 좋지 않은 말이나 행동도 자기의 지식과 인격을 닦는 데에 도움이 될 수 있음을 나타내는 말.

* 옥돌: 옥이 들어 있는 돌. 또는 가공하지 않은 천연의 옥.

한자 성어 8주 4일

확인 문제

1~3 다음 뜻에 해당하는 한자성어를 보기 에서 찾아 쓰시오.

보기
- 조삼모사
- 타산지석
- 천신만고
- 청출어람

1 제자나 후배가 스승이나 선배보다 나은 것을 나타내는 말.

→ (　　　　　　　　　　　　)

2 나쁜 꾀로 남을 속여 제멋대로 가지고 노는 것을 뜻하는 말.

→ (　　　　　　　　　　　　)

3 남의 좋지 않은 말이나 행동도 자기의 지식과 인격을 닦는 데에 도움이 될 수 있음을 나타내는 말.

→ (　　　　　　　　　　　　)

4~8 밑줄 그은 한자성어와 바꾸어 쓸 수 있는 말이면 ○표, 아니면 ×표 하시오.

4 혜영이는 친구에게 나를 죽마고우라고 소개했다.

→ 처음 만난 사람 (　　　)

5 우리는 천신만고를 겪고 난 뒤에 목적지에 도착했다.

→ 온갖 고생 (　　　)

6 초대한 사람이 초대받은 사람보다 늦게 오다니 주객전도가 따로 없다.

→ 주인과 손님이 바뀐 상황 (　　　)

7 뒤에는 적군이 몰려오고 앞에는 큰 강에 가로막혀 진퇴양난에 처했다.

→ 유일한 출구 (　　　)

8 사장님은 칠전팔기하겠다는 정신으로 여러 가지 사업에 도전한 끝에 성공했다.

→ 단번에 성공 (　　　)

9~11 알맞은 한자성어를 찾으시오.

9 다음 한자성어와 그 뜻을 보고 ㉠과 ㉡에 해당하는 예가 알맞게 짝 지어진 것을 찾아 ○표 하시오.

> 청출어람: ㉠쪽에서 뽑아낸 ㉡푸른 물감이 쪽보다 더 푸르다는 뜻

(1) ㉠: 동생, ㉡: 언니 ( )
(2) ㉠: 선배, ㉡: 후배 ( )
(3) ㉠: 학생, ㉡: 선생님 ( )

10 밑줄 그은 한자성어의 쓰임이 알맞지 않은 것에 ×표 하시오.

(1) 십 년 만에 죽마고우를 만나게 되어 무척 기쁘다. ( )
(2) 그가 큰 결단을 내린 덕분에 진퇴양난의 상황을 벗어날 수 있었다. ( )
(3) 그는 근본적인 대책을 세우기보다는 조삼모사로 사람들을 속여 넘기려 하였다. ( )
(4) 천신만고라더니 위로를 받아야 할 친구가 오히려 다른 친구를 위로해 주고 있었다. ( )

11 다음 밑줄 그은 부분과 뜻이 통하는 한자성어는 무엇입니까? ( )

> 은아: 대영아, 어린이 발명 대회에서 큰 상을 받은 비결을 알려 줄래?
> 대영: 세상에 없던 발명품을 만들 수 있을 때까지 여러 번 실패해도 포기하지 않고 계속 노력했지.

① 진퇴양난(進退兩難) ② 천신만고(千辛萬苦) ③ 타산지석(他山之石)
④ 칠전팔기(七顚八起) ⑤ 조삼모사(朝三暮四)

12 주어진 한자성어를 활용해 그림의 상황을 문장으로 표현하시오.

12

타산지석

____

____

한자 성어
8주 4일

73 토사구팽

兔 토끼 토 死 죽을 사 狗 개 구 烹 삶을 팽

뜻 토끼가 죽으면 토끼를 잡던 사냥개도 필요 없게 되어 주인에게 잡아 먹히게 된다는 뜻으로, 필요할 때는 쓰고 필요 없을 때는 인정 없이 버리는 경우를 나타내는 말.

74 파죽지세

破 깨뜨릴 파 竹 대 죽 之 갈 지 勢 형세 세

뜻 대나무를 쪼개는 기세라는 뜻으로, 적을 거침없이 물리치고 쳐들어가는 기세를 나타내는 말.

75 표리부동

表 겉 표 裏 속 리 不 아닐 부 同 한가지 동

뜻 겉으로 드러나는 말과 행동이 속으로 가지는 생각과 다름.

76 풍전등화

風 바람 풍 前 앞 전 燈 등 등 火 불 화

뜻 바람 앞의 등불이라는 뜻으로, 사물이 매우 위태로운 상황에 놓여 있음을 나타내는 말.

비슷한 말 풍등(風 바람 풍, 燈 등 등)

77 학수고대

鶴 학 학 首 머리 수 苦 쓸 고 待 기다릴 대

뜻 학의 목처럼 목을 길게 빼고 간절히 기다림.

비슷한 말 학수(鶴 학 학, 首 머리 수)

78 함흥차사

咸 다 함 興 일 흥 差 다를 차 使 부릴 사

뜻 심부름을 가서 오지 않거나 늦게 온 사람을 뜻하는 말.

79 형설지공

螢 반딧불이 형 雪 눈 설 之 갈 지 功 공 공

뜻 반딧불이나 흰 눈의 빛으로 글을 읽는다는 뜻으로, 고생을 하면서 부지런하고 꾸준하게 공부하는 자세를 나타내는 말.

80 화룡점정

畫 그림 화 龍 용 룡 點 점 점 睛 눈동자 정

뜻 무슨 일을 하는 데에 가장 중요한 부분을 완성하는 것을 뜻하는 말.

비슷한 말 점정(點 점 점, 睛 눈동자 정)

한자 성어

8주 5일

확인 문제

1~2 다음 그림에서 밑줄 그은 한자성어의 뜻으로 알맞은 것에 ○표 하시오.

1

(1) 정신없이 바쁜 사람을 뜻하는 말. ( )

(2) 심부름을 가서 오지 않거나 늦게 온 사람을 뜻하는 말. ( )

2

(1) 잠깐 동안의 헛되거나 허무한 일을 뜻하는 말. ( )

(2) 무슨 일을 하는 데에 가장 중요한 부분을 완성하는 것을 뜻하는 말. ( )

3~7 주어진 한자성어의 뜻을 보고 □ 안에 알맞은 낱말을 쓰시오.

3

뜻 학의 목처럼 목을 길게 빼고 간절히 기다림.

예 나는 전학 간 친구에게서 편지가 오기를 □□□□했다.

4

뜻 적을 거침없이 물리치고 쳐들어가는 기세를 나타내는 말.

예 우리 군대는 □□□□로 적군을 몰아냈다.

5

뜻 겉으로 드러나는 말과 행동이 속으로 가지는 생각과 다름.

예 그가 □□□□한 사람이었다는 사실은 내게 큰 충격이었다.

6

뜻 고생을 하면서 부지런하고 꾸준하게 공부하는 자세를 나타내는 말.

예 우리 언니는 □□□□의 노력 끝에 시험에 합격했다.

7

뜻 바람 앞의 등불이라는 뜻으로, 사물이 매우 위태로운 상황에 놓여 있음을 나타내는 말.

예 왜적의 침략을 받은 조선은 □□□□의 위기에 놓였다.

8~10 알맞은 한자성어를 찾으시오.

8 ㉠~㉢ 중 빈칸에 들어갈 한자성어가 다른 것을 찾아 기호를 쓰시오.

㉠ 윤아는 할아버지가 오신다는 일요일만 [　　　]하며 기다렸다.
㉡ 심부름 간 동생이 아무리 기다려도 [　　　](이)라서 마중을 나갔다.
㉢ [　　　]했던 여행 날에 비가 내려서 어쩔 수 없이 여행이 취소되었다.

(　　　　　　　)

9 밑줄 그은 한자성어의 쓰임이 알맞지 않은 것에 ×표 하시오.

(1) 겸손한 줄 알았던 그가 알고 보니 표리부동한 사람이었다. (　　)
(2) 이번 공연에서 화룡점정은 마지막에 등장한 인기 가수의 무대였다. (　　)
(3) 우리는 시간이 지날수록 형설지공처럼 위태로운 상황에 놓이게 되었다. (　　)

10 다음 글의 상황과 관련 있는 한자성어는 무엇입니까? (　　　)

범수는 발표 준비를 하면서 어려움이 생길 때마다 기태에게 도움을 요청했다. 기태가 자신의 일처럼 앞장서서 도와준 덕에 범수는 발표를 잘 마칠 수 있었다. 하지만 범수는 그 뒤 자신의 힘만으로 발표를 끝낸 양 기태에게 아는 척도 하지 않았다.

① 학수고대(鶴首苦待)　② 파죽지세(破竹之勢)　③ 토사구팽(兔死狗烹)
④ 함흥차사(咸興差使)　⑤ 화룡점정(畫龍點睛)

한자성어

8주 5일

11~12 주어진 한자성어를 활용해 그림의 상황을 문장으로 표현하시오.

11

파죽지세

____

____

12

학수고대

____

____

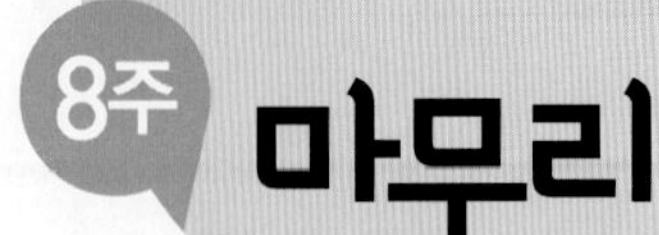

8주 마무리

그림의 상황에 알맞은 한자성어를 떠올려 □ 안에 알맞은 낱말을 쓰시오.

01

□하무□

02

□□지리

03

□□보□보

04

□유□단

05

유□무□

06

적□□장

07

전 □ 위 □

08

주 □ 전 □

09

□ 전 □ 기

10

표 □ 부 □

11

□ 전등 □

12

□ □ 차사

한자 성어

8주 마무리

더 알아보기

한자성어

"우리나라에서 생긴 한자성어가 있을까요?"

한자성어는 옛이야기에서 유래되어 생긴 말로, 보통 '고진감래(苦盡甘來)'와 같이 4자 성어가 대부분이지만 '*등용문(登龍門)'이나 '오십보백보(五十步百步)'와 같이 꼭 네 글자로만 이루어지는 것은 아니랍니다.

또, 한자성어라고 하면 모두 중국에서 온 것 같지만 우리나라에서 만들어진 한자성어도 있어요. 이 중 우리가 흔히 쓰는 말은 '오비이락(烏飛梨落)', '적반하장(賊反荷杖)', '함흥차사(咸興差使)', '삼일천하(三日天下)' 등이 있습니다. 이 중에서 조선 근대 역사와도 밀접한 관련이 있는 '삼일천하(三日天下)'에 얽힌 이야기를 알아보도록 할게요.

한자를 풀이하면 삼 일 동안 천하를 지배한다는 뜻이에요. 천하를 지배한 기간이 겨우 삼 일밖에 안 된다니, 너무 짧죠? 그래서 '삼일천하'는 아주 짧은 기간 동안 정치 권력을 잡았다가 쫓겨나는 것을 의미하는 말이랍니다.

조선 후기에 우리나라는 차근차근 개혁을 하자는 온건 개화파와 빠르게 개혁을 하자는 급진 개화파로 나뉘게 되었습니다.

이후 청과 프랑스 사이에 전쟁이 일어나면서 조선에 있던 청의 군대 중 절반이 청으로 되돌아가는 일이 생겼습니다. 이 틈을 타서 급진 개화파는 온건 개화파와 같은 급진 개혁을 반대하는 세력을 없애고 정권을 잡아서 조선의 근대화를 이루려는 계획을 세웁니다. 그리하여 김옥균, 박영효, 서재필 등의 급진 개화파는 일본의 지원을 약속받고, 1884년 우리나라 최초의 우체국인 우정총국이 만들어진 것을 축하하는 기념식에서 정변을 일으킵니다. 이것이 바로 '갑신정변'이지요. 이들은 청의 간섭에서 벗어나 조선의 근대화를 이루자는 개혁안을 발표했습니다.

하지만 지원해 준다던 일본이 약속을 어기고 청의 군대가 개입하면서 갑신정변은 3일 만에 끝이 나게 됩니다. 그래서 '삼일천하(三日天下)'라는 말이 생겼습니다.

* **등용문**: 용문(龍門)에 오른다는 뜻으로, 어려운 관문을 통과하여 크게 출세하게 됨.

초고필

초고필

지금 **국어 어휘**를 해야 할 때

초고필

초등 고학년 필수

지금

국어 어휘

를 해야 할 때

정답 및 풀이

초고필

지금

국어 어휘

를 해야 할 때

정답 및 풀이

정답 및 풀이

속담 01 확인 문제 12~13쪽

1 (2) ○ **2** (1) ○ **3** 가지, 바람 **4** 예 가는, 장날 **5** 예 가재, 게 **6** 간, 쓸개 **7** 고래, 새우 **8** ①, ②, ⑤ **9** (3) × **10** (1) ○ **11** 예 가재는 게 편이라더니 경미는 동생이 친구에게 혼이 나자 동생 편을 들었습니다. **12** 예 대영이는 간에 붙었다 쓸개에 붙었다 하며 반장 선거에 나온 친구들에게 듣기 좋은 소리를 했습니다.

1 '가랑비에 옷 젖는 줄 모른다'는 아무리 사소한 것이라도 그것이 거듭되면 무시하지 못할 정도로 크게 됨을 뜻하는 말입니다.
오답 피하기 (1)에서 조금 주고 그 대가로 몇 배나 많이 받는 경우를 뜻하는 말은 '되로 주고 말로 받는다'입니다.

2 '가는 말이 고와야 오는 말이 곱다'는 자기가 남에게 말이나 행동을 좋게 해야 남도 자기에게 좋게 한다는 말입니다.
오답 피하기 (2)에서 같은 내용의 이야기라도 이렇게 말하여 다르고 저렇게 말하여 다르다는 말은 '아 해 다르고 어 해 다르다'입니다.

3 자식을 많이 둔 부모에게는 근심, 걱정이 끊일 날이 없음을 뜻하는 말은 '가지 많은 나무에 바람 잘 날이 없다'입니다.

4 어떤 일을 하려고 하는데 뜻하지 않은 일을 공교롭게 당함을 나타내는 말은 '가는 날이 장날'입니다. 빈칸에는 '가는'과 '장날' 외에도 '가는'과 '생일', '오는'과 '장날' 등을 쓸 수 있습니다.

5 사람은 누구나 자기와 가깝거나 비슷한 입장의 사람을 편들기 마련이라는 말은 '가재는 게 편'의 뜻입니다. '가재'와 '게' 외에 '솔개'와 '매' 등을 쓸 수 있습니다.

6 자기에게 조금이라도 이익이 되면 이편에 붙었다 저편에 붙었다 함을 뜻하는 말은 '간에 붙었다 쓸개에 붙었다 한다'입니다.

7 강한 사람들끼리 싸우는 통에 아무 상관도 없는 약한 사람이 중간에 끼어 피해를 입게 됨을 뜻하는 말은 '고래 싸움에 새우 등 터진다'입니다.

8 '~는 ~편'에 알맞은 낱말은 '가재'와 '게', '검정개'와 '돼지', '솔개'와 '매'가 있습니다.

9 적은 돈이라도 함부로 써서는 안 된다는 뜻을 전하기 위해서는 아무리 사소한 것이라도 그것이 거듭되면 무시하지 못할 정도로 크게 됨을 뜻하는 '가랑비에 옷 젖는 줄 모른다'가 알맞습니다.

10 학급 회의에서 경준이와 수빈이의 다툼으로 다른 친구들까지 피해를 입게 된 상황이므로 '고래 싸움에 새우 등 터진다'가 알맞습니다.

11 채점 기준 동생 편을 드는 경미의 모습을 '가재는 게 편'을 넣어 썼으면 정답으로 합니다.

12 채점 기준 이편에 붙었다 저편에 붙었다 하는 대영이의 모습을 '간에 붙었다 쓸개에 붙었다 한다'를 넣어 썼으면 정답으로 합니다.

속담 02 확인 문제 16~17쪽

1 ㉯ **2** ㉮ **3** ㉰ **4** 공든 탑이 무너지랴 **5** 금강산도 식후경 **6** 까마귀 날자 배 떨어진다 **7** 구슬이 서 말이라도 꿰어야 보배 **8** 급하면 바늘허리에 실 매어 쓸까 **9** ④ **10** ① **11** (1) ○ **12** 예 은아는 까마귀 고기를 먹었는지 숙제하는 것을 자꾸 잊어버리곤 했습니다.

1 '잊어버리기를 잘하는 사람을 놀리거나 나무라는 말.'은 '까마귀 고기를 먹었나'의 뜻입니다.

2 '어려운 일이나 힘든 일을 겪은 뒤에는 반드시 즐겁고 좋은 일이 생긴다는 말.'은 '고생 끝에 낙이 온다'의 뜻입니다.

3 '부지런하고 꾸준히 노력하는 사람은 제자리에 머무르지 않고 계속 발전한다는 말.'은 '구르는 돌은 이끼가 안 낀다'의 뜻입니다.

4 힘을 다하고 정성을 다하여 한 일은 그 결과가 반드시 헛되지 아니하다는 뜻이 어울리므로 '공든 탑이 무너지랴'가 알맞습니다.

5 아무리 재미있는 일이라도 배가 불러야 흥이 나지 배가 고파서는 아무 일도 할 수 없다는 뜻이 어울리므로 '금강산도 식후경'이 알맞습니다.

6 아무 관계 없이 한 일이 공교롭게도 때가 같아 어떤 관계가 있는 것처럼 의심을 받게 되었다는 뜻이 어울리므로 '까마귀 날자 배 떨어진다'가 알맞습니다.

7 아무리 훌륭하고 좋은 것이라도 쓸모 있게 만들어 놓아야 값어치가 있다는 뜻이 어울리므로 '구슬이 서 말이라도 꿰어야 보배'가 알맞습니다.

8 아무리 급해도 순서를 밟아야 한다는 뜻이 어울리므로 '급하면 바늘허리에 실 매어 쓸까'가 알맞습니다.

9 아무 상관이 없지만 어떤 관계가 있는 것처럼 의심을 받을 때에는 '까마귀 날자 배 떨어진다', 잊어버리기를 잘하는 사람에게는 '까마귀 고기를 먹었나'를 사용할 수 있습니다.

10 '금강산도 식후경'은 아무리 재미있는 일이라도 배가 불러야 흥이 나지 배가 고파서는 아무 일도 할 수 없음을 뜻하므로 밥 먹기 전에 일을 마치자는 말과는 어울리지 않습니다.
오답 피하기 ② 고생 끝에 낙이 온다: 지금은 힘들지만 조금만 더 노력하자는 말에 알맞습니다.
③ 구르는 돌은 이끼가 안 낀다: 꾸준히 노력하는 사람은 계속 발전한다는 말로, 문맥에 어울립니다.
④ 급하면 바늘허리에 실 매어 쓸까: 순서대로 할 일을 마구잡이로 한 상황에 어울립니다.
⑤ 구슬이 서 말이라도 꿰어야 보배: 옷감이 좋아도 옷을 만들어야 쓸모 있다는 표현에 어울립니다.

11 열심히 한 일에는 반드시 좋은 결과가 있기 마련이라는 말은 힘을 다하고 정성을 다하여 한 일은 그 결과가 반드시 헛되지 않음을 뜻하는 말인 '공든 탑이 무너지랴'와 뜻이 통합니다.

12 채점 기준 숙제하는 것을 잊어버린 은아의 상황을 '까마귀 고기를 먹었나'를 넣어 표현했으면 정답으로 합니다.

속담 03 확인 문제

20~21쪽

1 ㉮ **2** ㉯ **3** ㉰ **4** 기역 **5** 침 뱉기 **6** 코 **7** 쥐 **8** 발 내놓기 **9** ② **10** (1) ○ **11** (1) ○ **12** 예 선미가 종이접기를 도와 달라고 했지만 내 코가 석 자라 도울 수가 없었습니다.

1 '내 사정이 급하고 어려워서 남을 돌볼 여유가 없음을 뜻하는 말.'은 '내 코가 석 자'의 뜻이므로 ㉮에 해당합니다.

2 '옳고 그름이나 의리를 생각하지 않고 자기의 이익만 얻으려 함을 뜻하는 말.'은 '달면 삼키고 쓰면 뱉는다'의 뜻입니다.

3 '애써 하던 일이 실패로 돌아가거나 남보다 뒤떨어져 어찌할 방법이 없음을 뜻하는 말.'은 '닭 쫓던 개 지붕 쳐다보듯'의 뜻입니다.

4 아주 무식함을 나타내는 말은 '낫 놓고 기역 자도 모른다'입니다.

5 자기에게 해가 돌아올 짓을 함을 뜻하는 말은 '누워서 침 뱉기'입니다.

6 거의 다 된 일을 망쳐버리는 행동을 뜻하는 말은 '다 된 죽에 코 빠졌다'입니다.

7 아무도 안 듣는 데서라도 말조심해야 한다는 말은 '낮말은 새가 듣고 밤말은 쥐가 듣는다'입니다.

8 옳지 못한 일을 저질러 놓고 엉뚱한 말과 행동으로 속여 넘기려 하는 일을 뜻하는 말은 '닭 잡아먹고 오리 발 내놓기'입니다.

9 남을 해치려고 하다가 도리어 자기가 해를 입게 된 상황이나 자기에게 해가 돌아올 짓을 한 상황에는 '누워서 침 뱉기'가 알맞습니다.
오답 피하기 ① 내 코가 석 자: 내 사정이 급해서 다른 사람을 도와줄 여유가 없는 상황에 어울립니다.
③ 다 된 죽에 코 빠졌다: 거의 다 된 일을 망쳐버리는 행동을 했을 때의 상황에 어울립니다.
④ 닭 쫓던 개 지붕 쳐다보듯: 애써 이루려던 일이 실패로 돌아갔을 때, 실망하여 맥이 빠진 상황에 어울립니다.
⑤ 닭 잡아먹고 오리 발 내놓기: 자신이 저지른 잘못이 드러나자 엉뚱한 짓을 해서 자신이 저지른 잘못을 숨기려 하는 상황에 어울립니다.

10 (1)에서 평소에는 모른 척하다가 필요할 때에만 다가오는 상황은 '달면 삼키고 쓰면 뱉는다'와 뜻이 통합니다. (2)는 '낮말은 새가 듣고 밤말은 쥐가 듣는다', (3)은 '닭 잡아먹고 오리 발 내놓기'를 사용해서 말해야 합니다.

11 우리 편이 앞서고 있었는데 마지막에 정우가 넘어져서 지게 되었으므로 거의 다 된 일을 망쳐버리는 행동을 뜻하는 말인 '다 된 죽에 코 빠졌다'를 사용해서 말할 수 있습니다.

12 **채점 기준** 자신의 것도 다 끝내지 못해 선미의 부탁을 거절하는 상황을 '내 코가 석 자'를 넣어 썼으면 정답으로 합니다.

속담 04 확인 문제

24~25쪽

1 (2) ○ 2 (1) ○ 3 돌다리, 두들겨 4 될성부른, 떡잎 5 똥, 겨 6 독장수, 독 7 예 뛰는, 나는 8 ②, ③ 9 (3) × 10 (2) ○ 11 예 돌다리도 두들겨 보고 건너라는 말이 있듯이 꺼진 불도 한 번 더 살펴보아야 불이 나지 않습니다.
12 예 될성부른 나무는 떡잎부터 알아본다는 말처럼 범준이는 어릴 때부터 그림을 잘 그렸습니다.

1 '등잔 밑이 어둡다'는 어떤 사물에서 가까이 있는 사람이 도리어 그 사물에 대해 잘 알기 어렵다는 말입니다.

오답 피하기 (1)에서 일이 이미 잘못된 뒤에는 손을 써도 소용이 없음을 비꼬는 말은 '소 잃고 외양간 고친다'입니다.

2 '되로 주고 말로 받는다'는 조금 주고 그 대가로 몇 배나 많이 받는 경우에 쓸 수 있는 말입니다.

오답 피하기 (2)에서 아무리 작은 것이라도 모이고 모이면 나중에 큰 덩어리가 됨을 뜻하는 말은 '티끌 모아 태산'입니다.

3 잘 아는 일이라도 꼼꼼하게 살펴 주의를 하라는 말은 '돌다리도 두들겨 보고 건너라'입니다.

4 잘될 사람은 어려서부터 남다른 뛰어남이 엿보인다는 말은 '될성부른 나무는 떡잎부터 알아본다'입니다.

5 자기는 더 큰 흉이 있으면서 도리어 남의 작은 흉을 본다는 말은 '똥 묻은 개가 겨 묻은 개 나무란다'입니다.

6 실현성이 없는 헛되고 황당한 계산은 도리어 손해만 가져온다는 말은 '독장수구구는 독만 깨뜨린다'입니다.

어휘력 더하기

'독장수구구는 독만 깨뜨린다'에 얽힌 이야기
옛날에 독을 파는 독장수가 있었는데, 하루는 독장수가 무거운 독이 담긴 지게를 옆에 세워 두고 독을 얼마나 팔지 계산을 시작했습니다. 독 둘을 팔아 빚을 갚는 데 쓰고, 나머지 독을 팔아 독 네 개를 사고, 넷을 팔아 여덟 개를 사고, …… 점점 팔린 독의 수가 많아져 부자가 되는 상상에 이르자 독장수는 너무 기쁜 나머지 팔을 번쩍 들어 지겟작대기를 밀어 버렸고, 그 바람에 독들은 와장창 깨지고 말았습니다.

7 스스로 뽐내는 사람을 주의하여 이르는 말은 '뛰는 놈 위에 나는 놈 있다'입니다. 빈칸에는 '뛰는'과 '나는' 외에 '기는'과 '나는', '나는'과 '타는' 등을 쓸 수 있습니다.

8 잘 아는 일이라도 꼼꼼하게 살펴 주의를 하라는 뜻을 가진 속담에는 '돌다리도 두들겨 보고 건너라', '아는 길도 물어 가랬다', '얕은 내도 깊게 건너라'가 있습니다.

9 친구를 놀렸다가 오히려 크게 앙갚음을 당한 상황에서는 '되로 주고 말로 받는다'와 같은 속담이 알맞습니다.

10 친척들이 아무도 못 오시는 줄도 모르고 미리부터 세뱃돈을 받아 게임기를 살 생각을 하고 있는 상황이므로 '떡 줄 사람은 꿈도 안 꾸는데 김칫국부터 마신다'가 알맞습니다.

11 **채점 기준** 성냥불이 꺼졌는지 꼼꼼하게 주의해서 확인하라는 내용을 '돌다리도 두들겨 보고 건너라'를 넣어 썼으면 정답으로 합니다.

12 **채점 기준** 범준이가 그림을 잘 그려서 남다른 뛰어남이 엿보인다는 내용을 '될성부른 나무는 떡잎부터 알아본다'를 넣어 썼으면 정답으로 합니다.

속담 05 확인 문제

28~29쪽

1 ㉮ **2** ㉰ **3** ㉯ **4** 믿는 도끼에 발등 찍힌다 **5** 말이 씨가 된다 **6** 목마른 놈이 우물 판다 **7** 못 먹는 감 찔러나 본다 **8** 미운 아이 떡 하나 더 준다 **9** ③ **10** ② **11** (2) ○ **12** ㉠ 믿는 도끼에 발등 찍힌다더니, 믿었던 친구에게 배신을 당했습니다.

1 '말만 잘하면 어려운 일이나 불가능해 보이는 일도 해결할 수 있다는 말.'은 '말 한마디에 천 냥 빚도 갚는다'의 뜻입니다.

2 '남에게 은혜를 입고서도 그 고마움을 모르고 생트집을 잡음을 이르는 말.'은 '물에 빠진 놈 건져 놓으니까 내 봇짐 내라 한다'의 뜻입니다.

3 '한 사람의 좋지 않은 행동이 여러 사람에게 나쁜 영향을 끼침을 뜻하는 말.'은 '미꾸라지 한 마리가 온 웅덩이를 흐려 놓는다'의 뜻입니다.

4 믿고 있던 사람이 배신하여 해를 입었다는 뜻이 어울리므로 '믿는 도끼에 발등 찍힌다'가 알맞습니다.

5 말하던 것이 사실로 된다는 뜻이 어울리므로 '말이 씨가 된다'가 알맞습니다.

6 제일 급하고 일이 필요한 사람이 그 일을 서둘러 하게 되어 있다는 뜻이 어울리므로 '목마른 놈이 우물 판다'가 알맞습니다.

7 제 것으로 만들지 못할 바에야 남도 갖지 못하게 못쓰게 만든다는 뜻이 어울리므로 '못 먹는 감 찔러나 본다'가 알맞습니다.

8 미운 사람일수록 잘해 주고 감정을 쌓지 않아야 한다는 뜻이 어울리므로 '미운 아이 떡 하나 더 준다'가 알맞습니다.

9 '미꾸라지 한 마리가 온 웅덩이를 흐려 놓는다'는 한 사람의 좋지 않은 행동이 여러 사람에게 나쁜 영향을 끼침을 뜻하는 말입니다.

10 '미운 아이 떡 하나 더 준다'는 미운 사람일수록 잘해 주고 감정을 쌓지 않아야 한다는 말이므로 나쁜 버릇을 어릴 때 고쳐야 한다는 말과 관련이 없습니다. ②에서 어울리는 속담에는 '세 살 적 버릇이 여든까지 간다'가 있습니다.

11 정아가 도와주었는데도 그 고마움을 모르고 다시 그려 달라고 하는 준성이에게는 '물에 빠진 놈 건져 놓으니까 내 봇짐 내라 한다'가 알맞습니다.

12 채점 기준 믿었던 친구에게 배신감을 느끼는 상황을 '믿는 도끼에 발등 찍힌다'를 넣어 표현했으면 정답으로 합니다.

1주 마무리

30~31쪽

01 가는, 고와야, 오는 **02** 간, 붙었, 쓸개, 붙었 **03** 개구리, 올챙이, 생각 **04** 구슬, 꿰어야, 보배 **05** 까마귀, 배 **06** 코, 석 **07** 죽, 코, 빠졌 **08** 떡, 꿈, 김칫국 **09** 똥, 겨, 나무란 **10** 말, 씨 **11** ㉠ 목마른/갑갑한, 우물 **12** ㉠ 믿는/아는, 도끼, 발등

속담 06 확인 문제

34~35쪽

1 ㉯ **2** ㉮ **3** ㉰ **4** 발 **5** 맞들면 **6** 실 **7** 배꼽 **8** 부채질 **9** ③ **10** ⑤ **11** (3) ○ **12** ㉠ 바늘 가는 데 실 가듯이 범준이는 항상 책을 가지고 다닙니다.

1 작은 나쁜 짓도 자꾸 하게 되면 큰 죄를 저지르게 됨을 뜻하는 말은 '바늘 도둑이 소도둑 된다'이므로 ㉯에 해당합니다.

2 이무리 힘이나 돈을 들여도 보람 없이 헛된 일이 되는 것을 나타내는 말은 '밑 빠진 독에 물 붓기'입니다.

3 품성이나 지식이 쌓인 사람일수록 겸손하고 남 앞에서 자기를 내세우려 하지 않는다는 것을 뜻하는 말은 '벼 이삭은 익을수록 고개를 숙인다'이므로 ㉰가 알맞습니다.

4 말을 조심해야 함을 나타내는 말은 '발 없는 말이 천 리 간다'입니다.

5 쉬운 일이라도 서로 도와서 하면 훨씬 쉽다는 말은 '백지장도 맞들면 낫다'입니다. 같은 뜻의 속담으로 '종잇장도 맞들면 낫다', '초지장도 맞들면 낫다' 등이 있습니다.

6 항상 붙어 다니는 매우 가까운 사이를 나타내는 말은 '바늘 가는 데 실 간다'입니다.

7 기본이 되는 것보다 덧붙이는 것이 더 많거나 큰 경우를 뜻하는 말은 '배보다 배꼽이 더 크다'입니다.

8 남의 어려움이나 불행을 점점 더 커지도록 만들거나 화난 사람을 더욱 화나게 함을 뜻하는 말은 '불난 집에 부채질한다'입니다.

9 이어지는 말로 보아 '바늘 가는 데 실 간다'와 '바늘 도둑이 소도둑 된다'임을 알 수 있으므로 빈칸에는 '바늘'이 공통으로 들어가야 합니다.

> 어휘력 더하기
>
> **'바늘'이 들어간 속담**
> - 낙타가 바늘구멍 들어가기: 매우 어려운 일을 뜻하는 말.
> - 무쇠도 갈면 바늘 된다: 꾸준히 노력하면 어떤 어려운 일이라도 이룰 수 있다는 말.
> - 급하면 바늘허리에 실 매어 쓸까: 일에는 일정한 순서가 있고 때가 있는 것이므로, 아무리 급해도 순서를 밟아서 일해야 함을 뜻하는 말.
> - 바늘구멍으로 황소바람 들어온다: 추울 때에는 바늘구멍 같은 작은 구멍에도 엄청나게 센 찬 바람이 들어온다는 뜻으로, 작은 것이라도 때에 따라서는 소홀히 하여서는 안 됨을 나타내는 말.

10 모두 말이 다른 이에게 퍼진 상황에 해당하므로 말은 비록 발이 없지만 천 리 밖까지도 순식간에 퍼진다는 뜻인 '발 없는 말이 천 리 간다'가 알맞습니다.

11 다른 사람 앞에서 자신을 드러내지 않고 겸손한 모습은 '벼 이삭은 익을수록 고개를 숙인다'와 뜻이 통합니다.

오답 피하기 (1) 백지장도 맞들면 낫다: 서로 협동해서 일을 쉽게 끝낸 상황 등에 어울립니다.
(2) 불난 집에 부채질한다: 화가 난 사람을 더욱 화나게 하는 말이나 행동을 한 상황에 어울립니다.

12 채점 기준 범준이와 책의 관계를 '바늘 가는 데 실 간다'를 넣어 썼으면 정답으로 합니다.

속담 07 확인 문제

38~39쪽

1 (1) ○ **2** (2) ○ **3** 비, 땅 **4** 빛, 개살구 **5** 수레, 요란 **6** 사공, 배, 산 **7** 서당, 풍월 **8** ⓒ **9** (1) × **10** (2) ○ **11** ㉮ 빛 좋은 개살구라더니 예쁜 장식이 달린 볼펜이지만 글자가 잘 써지지 않았습니다. **12** ㉮ 보지도 않은 영화에 대해 아는 척하는 범수를 보니 빈 수레가 요란하다는 말이 떠오릅니다.

1 '세 살 적 버릇이 여든까지 간다'는 어릴 때부터 나쁜 버릇이 들지 않도록 잘 가르쳐야 함을 뜻하는 말입니다.

오답 피하기 (2)에서 모든 일은 근본에 따라 거기에 걸맞은 결과가 나타나는 것임을 뜻하는 말은 '콩 심은 데 콩 나고 팥 심은 데 팥 난다'에 해당하므로 알맞지 않습니다.

2 '빈대 잡으려고 초가삼간 태운다'는 손해를 크게 볼 것을 생각지 않고 마음에 들지 않는 것을 없애려고 그저 덤비기만 하는 경우를 뜻하는 말입니다.

오답 피하기 (1)에서 아무리 익숙하고 잘하는 사람이라도 가끔 실수할 때가 있음을 뜻하는 말은 '원숭이도 나무에서 떨어진다'입니다.

3 힘든 일을 겪은 뒤에 더 강해짐을 나타내는 말은 '비 온 뒤에 땅이 굳어진다'입니다.

4 겉만 그럴듯하고 실속이 없는 경우를 나타내는 말은 '빛 좋은 개살구'입니다.

5 실속 없는 사람이 겉으로 더 떠들어 댐을 뜻하는 말은 '빈 수레가 요란하다'입니다.

6 책임을 지고 맡아 관리하는 사람 없이 여러 사람이 자기주장만 내세우면 일이 제대로 되기 어려움을 뜻하는 말은 '사공이 많으면 배가 산으로 간다'입니다.

7 어떤 분야에 대하여 지식과 경험이 전혀 없는 사람이라도 그 부문에 오래 있으면 얼마간의 지식과 경험을 갖게 된다는 것을 뜻하는 말은 '서당 개 삼 년에 풍월을 읊는다'입니다.

8 ㉠, ㉡에는 '살은 쏘고 주워도 말은 하고 못 줍는다'가 들어가야 하고, ㉢에는 '빈 수레가 요란하다'가 들어가야 합니다.

9 '빛 좋은 개살구'는 겉만 그럴듯하고 실속이 없는 경우를 나타내는 말이므로 값이 싸면서도 몸에도 잘 맞고 편한 옷을 가리키는 말로는 알맞지 않습니다.

10 친구들이 자기주장만 내세워 일이 제대로 되지 못한 상황이므로 '사공이 많으면 배가 산으로 간다'가 알맞습니다.

11 채점 기준 볼펜이 겉보기에는 예쁘지만 글자가 잘 써지지 않아 실속이 없다는 내용을 '빛 좋은 개살구'를 넣어 썼으면 정답으로 합니다.

12 채점 기준 보지도 않은 영화에 대해 이야기하며 잘난 척하는 범수의 모습을 '빈 수레가 요란하다'를 넣어 썼으면 정답으로 합니다.

속담 08 확인 문제

42~43쪽

1 ㉯ **2** ㉰ **3** ㉮ **4** 쇠귀에 경 읽기 **5** 쇠뿔도 단김에 빼랬다 **6** 우물에 가 숭늉 찾는다 **7** 우물 안 개구리 **8** 숭어가 뛰니까 망둥이도 뛴다 **9** ③ **10** ⑤ **11** (3) ○ **12** 예 재훈이는 자기보다 그림을 잘 그리는 친구를 보고 자신이 우물 안 개구리였음을 깨달았습니다.

1 '일이 이미 잘못된 뒤에는 손을 써도 소용이 없음을 비꼬는 말.'은 '소 잃고 외양간 고친다'의 뜻입니다. 같은 뜻의 속담으로 '도둑맞고 사립 고친다', '말 잃고 외양간 고친다'가 있습니다.

2 '같은 내용의 이야기라도 이렇게 말하여 다르고 저렇게 말하여 다르다는 말.'은 '아 해 다르고 어 해 다르다'의 뜻입니다.

3 '무슨 일이든지 시작하기가 어렵지, 일단 시작하면 일을 끝마치기는 그리 어렵지 않음을 뜻하는 말.'은 '시작이 반이다'의 뜻입니다.

4 아무리 충고를 해도 알아듣지 못하거나 효과가 없다는 뜻이 어울리므로 '쇠귀에 경 읽기'가 알맞습니다. '쇠귀에 경 읽기'와 바꾸어 쓸 수 있는 속담에는 '말 귀에 염불', '쇠코에 경 읽기' 등이 있습니다.

5 어떤 일이든지 하려고 생각했으면 곧 행동으로 옮겨야 한다는 뜻이 어울리므로 '쇠뿔도 단김에 빼랬다'가 알맞습니다.

6 걸음마 하는 아기에게 달리라고 하는 상황은 일의 순서도 모르고 성급하게 덤빈다는 뜻이 어울리므로 '우물에 가 숭늉 찾는다'가 알맞습니다.

7 동네 노래자랑에서 1등 했다고 가수가 된 척하는 사람에게는 넓은 세상의 형편을 알지 못하는 사람이라는 뜻이 어울리므로 '우물 안 개구리'가 알맞습니다.

8 남이 한다고 하니까 생각 없이 덩달아 나선다는 뜻이 어울리므로 '숭어가 뛰니까 망둥이도 뛴다'가 알맞습니다.

9 이어지는 말로 보아 '우물 안 개구리'와 '우물에 가 숭늉 찾는다'임을 알 수 있으므로 빈칸에는 '우물'이 공통으로 들어가야 합니다.

10 '쇠귀에 경 읽기'는 아무리 가르치고 알려 주어도 알아듣지 못하거나 효과가 없는 경우를 뜻하는 말이므로 불필요한 물건인데도 무작정 남을 따라 사는 모습과는 관련이 없습니다.

11 연예인이 매운 음식을 먹는 장면을 본 뒤 너도나도 매운 음식을 먹었다고 하였으므로 이러한 상황에서는 '숭어가 뛰니까 망둥이도 뛴다'가 알맞습니다.

> **어휘력 더하기**
>
> **숭어와 망둥이**
>
> 망둥이는 몸의 길이가 20cm 정도로 작은 편이고, 바닷가의 모래땅에 사는 물고기입니다. 반면에 숭어는 몸의 길이가 70cm나 되고 넓고 깊은 바다에서 살기 때문에 물 위로 뛰어오르는 힘이 좋아 높은 곳까지 뛰어오를 수 있습니다. 속담처럼 망둥이가 숭어를 따라 뛰어오르려고 해도 망둥이는 작고 힘이 부족하기 때문에 숭어만큼 높게 뛰어오를 수 없습니다.

12 채점 기준 자기보다 뛰어난 친구가 있음을 알게 된 재훈이의 상황을 '우물 안 개구리'를 넣어 표현했으면 정답으로 합니다.

속담 09 확인 문제

46~47쪽

1 ㉮ **2** ㉯ **3** ㉰ **4** 쥐구멍 **5** 비뚤어져도 **6** 떨어질 **7** 꿈틀 **8** 한 **9** ④ **10** (3) ○ **11** (3) ○ **12** 예 원숭이도 나무에서 떨어진다더니 육상부인 성지가 달리기에서 꼴찌를 했습니다.

1 '무슨 일이나 그 일의 시작이 중요하다는 말.'은 '천 리 길도 한 걸음부터'의 뜻입니다.

2 '윗사람이 잘하면 아랫사람도 따라서 잘하게 된다는 말.'은 '윗물이 맑아야 아랫물이 맑다'입니다.

3 '모든 일은 근본에 따라 거기에 걸맞은 결과가 나타나는 것임을 뜻하는 말.'은 '콩 심은 데 콩 나고 팥 심은 데 팥 난다'의 뜻입니다.

4 몹시 고생을 하는 삶도 좋은 운수가 생길 날이 있다는 말은 '쥐구멍에도 볕 들 날 있다'입니다.

5 말은 언제나 바르게 해야 함을 뜻하는 말은 '입은 비뚤어져도 말은 바로 하랬다'입니다.

어휘력 더하기

말조심과 관련된 속담 예

- 혀 아래 도끼 들었다: 말을 잘못하면 큰 벌을 받게 되니 말조심을 하라는 말.
- 세 치 혀가 사람 잡는다: 세 치(약 9cm)밖에 안 되는 짧은 혀라도 잘못 놀리면 사람이 죽게 되는 수가 있다는 뜻으로, 말을 함부로 하여서는 안 됨을 나타내는 말.
- 말이 말을 만든다: 말은 사람의 입을 거치는 동안 그 내용이 과장되고 변한다는 말.

6 아무리 익숙하고 잘하는 사람이라도 가끔 실수할 때가 있음을 뜻하는 말은 '원숭이도 나무에서 떨어진다'입니다.

7 아무리 눌려 지내는 사람이나, 순하고 좋은 사람이라도 너무 하찮게 여기면 가만있지 않는다는 말은 '지렁이도 밟으면 꿈틀한다'입니다.

8 한 가지 일을 끝까지 해야 성공할 수 있다는 말은 '우물을 파도 한 우물을 파라'입니다.

9 ㉠은 윗사람, ㉡은 아랫사람을 뜻합니다. ④ '아이 – 어린이'는 뜻이 서로 비슷한 말이므로 알맞지 않습니다.

10 '천 리 길도 한 걸음부터'는 무슨 일이나 그 일의 시작이 중요하다는 말이므로 눈앞의 작은 일부터 하나씩 시작하자는 말을 할 때에 사용할 수 있습니다.

11 놀면서 공부도 잘할 수 있으면 좋겠다고 말하는 기태에게는 모든 일은 근본에 따라 거기에 걸맞은 결과가 나타난다는 뜻의 '콩 심은 데 콩 나고 팥 심은 데 팥 난다'를 사용해서 말해야 합니다.
오답 피하기 (1) 쥐구멍에도 볕 들 날 있다: 고생을 하다 좋은 일이 생긴 상황에 알맞습니다.
(2) 지렁이도 밟으면 꿈틀한다: 눌려 지내던 순한 사람이 화를 내는 상황에 알맞습니다.

12 채점 기준 육상부인 성지가 달리기에서 꼴찌를 하는 상황을 '원숭이도 나무에서 떨어진다'를 넣어 표현했으면 정답으로 합니다.

속담 10 확인 문제

50~51쪽

1 (1) ○ **2** (2) ○ **3** 호박, 넝쿨 **4** 콩, 메주 **5** 굴, 새끼 **6** 티끌, 태산 **7** 호랑이, 말 **8** ㉡ **9** (2) × **10** (1) ○ **11** 예 호랑이도 제 말 하면 온다더니 두영이 이야기를 하는 중에 두영이가 다가왔습니다. **12** 예 망가진 장난감을 그냥 두었더니 완전히 부서져서 호미로 막을 것을 가래로 막게 되었습니다.

1 '하룻강아지 범 무서운 줄 모른다'는 철없이 함부로 덤비는 경우에 하는 말입니다.

2 '호랑이에게 물려 가도 정신만 차리면 산다'는 아무리 위급한 일이 생기더라도 정신만 똑똑히 차리면 위기를 벗어날 수가 있다는 말입니다.

3 뜻밖에 좋은 물건을 얻거나 행운을 만났다는 말은 '호박이 넝쿨째로 굴러떨어졌다'입니다.

4 아무리 사실대로 말하여도 믿지 않음을 뜻하는 말은 '콩으로 메주를 쑨다 하여도 곧이듣지 않는다'입니다.

5 원하는 목표를 이루려면 그에 필요한 일을 해야 함을 나타내는 말은 '호랑이 굴에 가야 호랑이 새끼를 잡는다'입니다.

6 아무리 작은 것이라도 모이고 모이면 나중에 큰 덩어리가 됨을 뜻하는 말은 '티끌 모아 태산'입니다.

7 다른 사람에 관한 이야기를 하는데 공교롭게 그 사람이 나타나는 경우를 뜻하는 말은 '호랑이도 제 말 하면 온다'입니다.

8 ㉠, ㉢에는 '호랑이'가 들어가야 하고, ㉡에는 '하룻강아지'가 들어가야 합니다.

9 선물보다 선물 포장지가 더 비싼 것은 기본이 되는 것보다 덧붙이는 것이 더 큰 경우에 해당하는데, '호박이 넝쿨째로 굴러떨어졌다'는 뜻밖에 좋은 물건을 얻거나 행운을 만났다는 뜻이므로 알맞지 않습니다.

10 커지기 전에 처리하였으면 쉽게 해결되었을 일을 내버려 두었다가 나중에 큰 힘을 들이게 된 경우에 쓰이는 '호미로 막을 것을 가래로 막는다'가 알맞습니다. 호미는 김을 매거나 감자 등을 캘 때 쓰는 농기구이고, 가래는 흙을 파헤치거나 떠서 던지는 기구입니다.

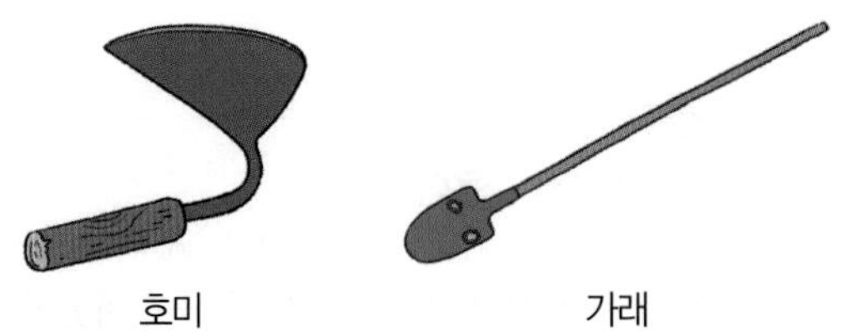

호미 가래

11 채점 기준 두영이에 대한 이야기를 하고 있는데 두영이가 다가오는 상황을 '호랑이도 제 말 하면 온다'를 넣어 썼으면 정답으로 합니다.

12 채점 기준 망가진 장난감을 그냥 두었다가 완전히 망가져버린 상황을 '호미로 막을 것을 가래로 막는다'를 넣어 썼으면 정답으로 합니다.

2주 마무리

52~53쪽

01 바늘, 실 **02** 배, 배꼽, 크 **03** ㉣ 백지장/종잇장/초지장, 맞들면 **04** 빛, 개살구 **05** 사공, 배, 산 **06** ㉣ 소/말, 외양간 **07** 우물, 개구리 **08** 윗물, 아랫물 **09** 콩, 콩, 팥, 팥 **10** 티끌, 태산 **11** 하룻강아지, 무서운 **12** 호랑이, 말

관용어 01 확인 문제

58~59쪽

1 (2) ○ **2** (3) ○ **3** 태우다 **4** 간, 크 **5** 간, 콩알 **6** 가슴, ㉣ 열고 **7** 멍 **8** ② **9** 간 **10** ③ **11** ㉣ 민수가 용돈을 받은 현주에게 떡볶이를 사 달라고 하며 간을 빼 먹으려고 합니다. **12** ㉣ 민호는 자신에 대한 소문을 퍼뜨렸지만 솔직하게 말해 준 희수를 용서할 만큼 가슴이 넓습니다.

1 '가슴에 손을 얹다'는 양심에 근거를 둔다는 뜻으로 도덕적으로 떳떳한지를 물어볼 때 사용하는 표현입니다.

오답 피하기 (3) '겁이 없고 용감하다.'는 '간이 크다'의 뜻입니다.

2 '간에 기별도 안 가다'는 먹은 것이 너무 적어 먹으나 마나 하다는 뜻이며 '간에 차지 않다'와 바꾸어 쓸 수 있습니다.

3 몹시 걱정하는 상황에서 '가슴을 태우다'라는 관용어를 사용합니다.

4 겁이 없고 매우 용감한 것을 표현할 때 '간이 크다'라고 합니다.

5 몹시 두려워지거나 무서워지는 상황에서 '간이 콩알만 해지다'라는 관용어를 사용합니다. 빈칸에는 '간'과 '콩알'을 씁니다.

6 '속마음을 털어놓거나 받아들이다.'는 '가슴을 열다'의 뜻입니다. 빈칸에는 '가슴'과 '열고/열어' 등의 낱말을 씁니다.

7 마음속에 고통과 슬픔이 지울 수 없이 맺힐 때에는 '가슴에 멍이 들다'라고 표현합니다.

8 ②는 갑자기 큰 소리가 들려서 깜짝 놀란 상황이므로 '간을 빼 먹을 뻔했다'가 아닌 '간이 떨어질 뻔했다'라고 표현해야 합니다. '간을 빼 먹다'는 '겉으로는 남의 기분을 맞추며 좋게 대하는 척하면서 중요한 것을 다 빼앗다.'의 뜻입니다.

오답 피하기 ① 간이 크다: '겁이 없고 매우 용감하다.'의 뜻이므로 도둑이 대낮에 집을 터는 문장의 상황과 어울립니다.
③ 가슴을 태우다: '몹시 걱정하다.'의 뜻이므로 좋아하는 가수의 콘서트를 예매하지 못할까 봐 걱정하는 마음이 잘 떠오릅니다.

④ 가슴에 멍이 들다: '마음속에 쓰라린 고통과 모진 슬픔이 지울 수 없이 맺히다.'의 뜻이므로 다른 사람을 무시하는 말을 듣는 사람의 마음과 어울립니다.
⑤ 가슴이 넓다: '이해심이 많다.'는 뜻이므로 '약속 시간을 어겨도 이해해 줄 만큼 가슴이 넓다.'는 알맞은 표현입니다.

9 '갑자기 아주 놀라다.'는 '간이 떨어지다', '남의 기분을 맞추기 위해 중요한 것을 아낌없이 주다.'는 '간을 꺼내어 주다'의 뜻입니다. 그러므로 ㉠에 공통으로 들어갈 낱말은 '간'입니다.

10 잊지 않고 단단히 마음에 기억한다는 말은 '가슴에 새기다'와 뜻이 통합니다.

11 채점 기준 '민수가 용돈을 받은 현주의 간을 빼 먹으려고 한다.' 등의 내용으로 썼으면 정답으로 합니다.

12 채점 기준 자신에 대한 소문을 퍼뜨린 희수를 용서한 민호의 모습을 '가슴이 넓다'를 넣어 썼으면 정답으로 합니다.

관용어 02 확인 문제

62~63쪽

1 ㈐ 2 ㈏ 3 ㈎ 4 × 5 ○ 6 ×
7 ○ 8 × 9 ㉢ 10 (2) ○ 11 ④ 12 예 민수는 텔레비전 광고 소리에 귀가 번쩍 뜨였습니다.

1 '들리는 말에 선뜻 마음이 끌리다.'는 '귀가 번쩍 뜨이다'의 뜻입니다.

2 '세력, 감정 등이 나타나거나 생기다.'는 '고개를 내밀다'의 뜻이며 '많은 사람들 앞에서 발표할 생각을 하니 불안감이 고개를 내밀었다.'와 같이 쓰입니다.

3 '고개를 좌우로 움직여 부정이나 거절의 뜻을 나타내다.'는 '고개를 흔들다'의 뜻입니다.

4 '고개를 숙이다'는 옳다고 생각하여 따르거나 양보하는 뜻으로 남에게 머리를 수그린다는 뜻이므로 '당당하게 행동하다'와 바꾸어 쓸 수 없습니다.

5 '귀에 들어가다'는 말이나 이야기가 누구에게 알려지는 것을 뜻하므로 '친구들 귀에 들어갔다'는 '친구들에게 알려졌다'로 바꾸어 쓸 수 있습니다.

6 '귀를 기울이다'는 남의 이야기에 관심을 가지고 주의를 집중한다는 뜻으로, '무시하다'와는 바꾸어 쓸 수 없습니다. '무시'는 '깔보거나 업신여김.'을 뜻합니다.

7 '고개를 돌리다'는 '외면하다'와 바꾸어 쓸 수 있는데 여기에서 '외면'은 '무엇을 받아들이지 않고 무시한다.'는 뜻입니다.

8 '고개를 꼬다'는 망설이느라고 고개를 이리저리 돌린다는 뜻입니다. 친구들이 고개를 꼬기만 했다고 했으므로 좋다고 끄덕였다는 말과는 바꾸어 쓸 수 없습니다.

9 ㉠ 우리는 귀를 통해 소리를 듣고, ㉡ 귀가 얇아서 결정을 잘 내리지 못하며, ㉣ 어머니는 나에게 거짓말을 하지 말라고 귀에 못이 박히도록 말씀하셨다는 내용이 어울립니다. ㉢은 거짓말을 들킬까 봐 계속 걱정한 것이므로 '가슴을 태우다'가 알맞습니다.

> **어휘력 더하기**
>
> **'귀'와 관련된 관용어**
> - 귀에 익다: 1. 들은 기억이 있다. 예 귀에 익은 멜로디 2. 어떤 말이나 소리를 자주 들어 버릇이 되다.
> - 귀를 열다: 들을 준비를 하다. 예 다시 말해 줄 테니 귀를 열고 똑똑히 들으렴.

10 '귀가 따갑다'는 '소리가 날카롭고 커서 듣기에 괴롭다.', '너무 여러 번 들어서 듣기가 싫다.'는 뜻으로 쓰입니다.
오답 피하기 (1) 귀가 얇다: '남의 말을 쉽게 받아들인다.'의 뜻으로, 보통 대화를 할 때 깊게 생각하지 않고 다른 사람의 말에 동의를 할 때 사용합니다.
(3) 귀가 번쩍 뜨이다: '들리는 말에 선뜻 마음이 끌리다.'는 뜻으로, 사람의 말이 매우 그럴 듯해서 자신도 관심이나 호기심이 생기는 상황에서 사용합니다.

11 글에 쓰인 '얼굴을 들지 못했다.'는 남을 당당하게 대하지 못했다는 뜻으로 '고개를 들지 못하다'와 뜻이 통합니다.

12 채점 기준 민수가 텔레비전 광고를 보고 마음이 끌려 하는 상황을 '귀가 번쩍 뜨이다'를 넣어 썼으면 정답으로 합니다.

관용어 03 확인 문제

66~67쪽

1 눈 깜짝할 사이 **2** 꽁무니를 빼다 **3** 꼬리가 길다 **4** 꼬리를 내렸다 **5** 눈이 번쩍 뜨였다 **6** 눈에 띈다 **7** 눈이 높다 **8** ③ **9** (1) × **10** ① **11** 예 그 소문이 꼬리에 꼬리를 물고 친구들 사이에 퍼지고 있습니다. **12** 예 민수가 눈 깜짝할 사이에 밥을 다 먹었습니다.

1 '매우 짧은 순간.'은 '눈 깜짝할 사이'의 뜻입니다.

2 '슬그머니 피하여 물러나다.'는 '꽁무니를 빼다'의 뜻입니다.

3 '못된 짓을 오래 두고 계속하다.'를 '꼬리가 길다'라고 합니다. '꼬리가 길면 잡히는 법' 등의 표현으로 많이 사용됩니다.

4 5 대 0으로 졌다는 내용이 어울리므로 '꼬리를 내렸다'가 알맞습니다.

5 꾸벅꾸벅 졸다가 이마를 책상에 부딪히면 정신이 갑자기 듭니다. 그러므로 빈칸에는 '눈이 번쩍 뜨였다'가 알맞습니다.

6 키가 무척 크기 때문에 어디에 서 있든 항상 두드러지게 드러난다는 뜻이 어울리므로 빈칸에는 '눈에 띈다'를 넣습니다.

7 웬만한 물건은 마음에 들어 하지 않는다고 했으므로 '눈이 높다'가 어울립니다.

8 첫 번째 문장에서 거짓말을 밥 먹듯이 한 것처럼 못된 짓을 오래 두고 계속할 때에 쓰이는 관용어는 '꼬리가 길다'입니다. 두 번째 문장에서 범인이 자신의 집을 찾아갔다가 형사에게 흔적을 들켰으므로 '꼬리를 밟히다'를 써야 합니다.

9 (1) 좋은 제품만 잘 고른다고 하였으므로 '코가 높아서'가 아니라 '눈이 높아서'가 어울립니다.
오답 피하기 (2) '눈이 번쩍 뜨이다'는 '정신이 갑자기 들다.'의 뜻이므로 그만큼 치킨을 매우 좋아한다는 것을 나타내기에 알맞습니다.
(3) '눈에 어리다'는 어떤 모습이 잊히지 않고 떠오르는 것으로 강아지가 지금도 가끔 눈에 어린다는 표현은 알맞습니다.

10 '관심을 돌리다'는 '눈을 돌리다'와 바꾸어 쓸 수 있습니다.
오답 피하기 ② 고개를 돌리다: 어떤 사람, 일, 상황 등을 외면하다. 예 그녀의 친구들도 이제는 더 도울 수 없다며 고개를 돌렸다.
③ 한숨을 돌리다: 힘겨운 고비를 넘기고 여유를 갖다. 예 우리 가족은 고개를 다 넘고 나서야 겨우 한숨을 돌렸다.
④ 꼬리를 내리다: 1. 상대편에게 기세가 꺾여 물러서거나 움츠러들다. 예 그 기업은 은행과의 협상에서 꼬리를 내렸다. 2. 싸움이나 경쟁에서 지다. 예 영국이 프랑스와의 맞대결에서 3전 전패로 꼬리를 내렸다.
⑤ 꼬리를 감추다: 자취를 감추다. 예 사람들에게 그런 모습을 보이기 싫어서 꼬리를 감추었다.

11 채점 기준 '소문이 꼬리에 꼬리를 물고 퍼지고 있다.' 등과 같은 내용으로 썼으면 정답으로 합니다.

12 채점 기준 민수가 매우 빨리 밥을 먹은 상황을 '눈 깜짝할 사이'를 넣어 썼으면 정답으로 합니다.

관용어 04 확인 문제

70~71쪽

1 (2) ○ **2** (3) ○ **3** ㉣ **4** ㉮ **5** ㉯ **6** ㉰ **7** ㉤ **8** (2) × **9** ③ **10** ① **11** 예 나와 동생은 그 문제에 대해 머리를 맞대고 이야기를 했습니다. **12** 예 현주는 좋아하는 가수의 사인이 담긴 사진을 받고 마음에 차는 듯 방방 뛰며 좋아했습니다.

1 '마음이 굴뚝같다'는 무엇을 간절히 하고 싶거나 원하는 마음을 뜻하므로 '자고 싶은 마음이 굴뚝같다'는 '매우 자고 싶다.'는 뜻입니다.

2 '머리 위에 앉다'는 잘난 체하며 남을 무시한다는 뜻입니다.

3 '머리를 식히다'는 '흥분되거나 긴장된 마음을 가라앉히다.'의 뜻입니다.

4 '머리를 내밀다'는 '어떤 자리에 모습을 나타내다.'의 뜻입니다.

5 '마음이 통하다'는 '서로 생각이 같아 이해가 잘 되다.'의 뜻입니다.

6 '마음을 주다'는 '마음을 숨기지 않고 기쁘게 내보이다.'의 뜻입니다.

7 이 문장에서 '머리를 숙이다'는 상대편에게 굴복함을 뜻합니다. 이외에 '마음속으로 감탄하여 옳다고 인정하거나 존경의 뜻을 나타내다.'의 뜻도 있습니다

8 (2) '마음에 차다'는 '더 바랄 게 없을 만큼 마음에 들어 기분 좋게 여기다.'의 뜻이므로 뒤에 나오는 '얼굴을 찡그리셨다'와 어울리지 않습니다. '마음에 차지 않는 듯'으로 고쳐야 합니다.

오답 피하기 (1) 마음이 풀리다: 1. 마음속에 맺히거나 틀어졌던 것이 없어지다. 예 이 편지를 읽고 친구의 서운한 마음이 풀렸으면 좋겠다. 2. 긴장하였던 마음이 약해지다. 예 수행 평가가 끝나고 마음이 풀려서인지 나는 감기에 걸렸다.
(3) 마음이 굴뚝같다: 무엇을 간절히 하고 싶거나 원하다. 예 감명 깊게 본 영화를 또 보고 싶은 마음이 굴뚝같다.

9 첫 번째 문장에서는 '우표를 붙이고'가 알맞고, 두 번째 문장에서는 공부에 마음을 쓰라는 뜻으로 '공부에 마음 붙이고'가 알맞습니다. 그러므로 공통으로 들어갈 낱말은 '붙이고'입니다.

10 '깊이 생각해서 해결 방안을 찾아보았다.'는 '머리를 굴리다'와 뜻이 통합니다.

오답 피하기 ② 머리를 숙이다: 1. 굴복하거나 굽실거리는 낮은 자세를 보이다. 2. 마음속으로 감탄하여 옳다고 인정하거나 존경의 뜻을 나타내다. 예 스승의 은혜에 머리 숙여 감사의 뜻을 전합니다.
③ 머리를 흔들다: 강한 거부 의사를 표현하거나 진저리를 치다. 예 그는 내 말에 머리를 흔들었다.
④ 머리를 식히다: 흥분되거나 긴장된 마음을 가라앉히다. 예 지원이가 영화를 보면서 머리를 식혔다.
⑤ 머리를 내밀다: 어떤 자리에 모습을 나타내다. 예 직원들이 회의실에 머리를 내밀었다.

11 채점 기준 두 아이가 문제를 해결하기 위해 서로 마주 대하고 있는 상황을 '머리를 맞대다.'를 넣어 썼으면 정답으로 합니다.

12 채점 기준 '현주가 사인이 담긴 사진을 받고 마음에 차서 좋아했다.' 등의 내용으로 썼으면 정답으로 합니다.

관용어 05 확인 문제

74~75쪽

1 ㉰ **2** ㉯ **3** ㉮ **4** 목구멍, 때 **5** 목구멍 **6** 목, 거미줄 **7** 물, 끼얹은 **8** 물, 고기 **9** ③ **10** (1) 거미줄 (2) 물과 기름 (3) 물 건너간 (4) 힘을 주면 **11** ② **12** 예 희수는 한참 전에 주문한 피자가 언제쯤 도착할까 목이 빠지게 기다렸습니다.

1 '몹시 안타깝게 기다리다.'는 '목이 빠지게 기다리다'의 뜻입니다.

2 '잘난 척을 하면서 남을 얕잡아 보는 태도를 보이다.'는 '목에 힘을 주다'의 뜻입니다.

3 '일이나 상황이 이미 끝나버려서 문제를 해결할 수 없다.'는 '물 건너가다'의 뜻입니다.

4 '목구멍의 때를 벗기다'는 배부르게 먹는 상황에 쓰이는 관용어입니다.

5 '분노, 욕망, 충동 등이 참을 수 없는 정도가 되다.'는 관용어 '목구멍까지 차오르다'의 뜻에 해당합니다.

6 '가난하여 아무것도 먹지 못하는 상황이 되다.'는 '목에 거미줄 치다'의 뜻입니다.

7 많은 사람이 갑자기 조용해지거나 진지해질 때 '물을 끼얹은 듯'이라는 관용어를 사용하여 표현합니다.

8 어려운 상황에서 벗어나 활발히 활동할 만한 좋은 상황을 만난 처지를 뜻하는 말은 '물 만난 고기'입니다.

9 '물을 끼얹은 듯'은 많은 사람이 갑자기 조용해지거나 진지해지는 모양을 뜻하는 말입니다. 그러므로 '교실은 시끄러워졌다.' 또는 '교실은 물을 끼얹은 듯 조용해졌다.'로 표현해야 합니다.

10 (1) 부지런히 일하므로 먹지 못하는 상황이 되지는 않을 것이라는 내용이므로 '목에 거미줄 치랴'가 알맞습니다. (2) 친구들과 어울리지 못하는 모습은 '물과 기름'으로 표현할 수 있습니다. (3) 자꾸 생각해 봤자 소용없는 일은 '물 건너가다'로 표현합니다. (4) 부모님이 부자라고 해도 남을 얕잡아 보는 태도를 보이면 안 된다는 내용에서 남을 얕잡아 보는 태도에는 '목에 힘을 주다'가 어울립니다.

11 '물 만난 고기'는 어려운 상황에서 벗어나 활발히 활동할 만한 좋은 상황을 만난 처지를 뜻하므로, 마이클이 좋아하는 우주를 이야기할 때 활발하게 생각을 말하는 상황에 어울립니다.

12 채점 기준 희수가 피자를 기다리는 상황을 보고 '희수가 피자를 목이 빠지게 기다린다.' 등의 내용으로 썼으면 정답으로 합니다.

3주 마무리

76~77쪽

01 가슴, 새 **02** 가슴 **03** 간, 기별 **04** 간, 떨어 **05** 고개 **06** 귀 **07** 귀, 못 **08** 꼬리, 내 **09** 꼬리, 밟 **10** 높 **11** 눈, 번쩍 **12** 마음, 통 **13** 마음, 풀 **14** 머리, 맞 **15** 머리, 앉 **16** 타 **17** 물, 고기 **18** 물, 끼얹

관용어 06 확인 문제

80~81쪽

1 발을 구르다 **2** 불꽃이 튀다 **3** 발이 빠르다 **4** 발이 묶이다 **5** 발이 넓다 **6** 불 보듯 뻔한 일이다 **7** 불이 났다 **8** 빛을 발했다 **9** ⑤ **10** ① **11** ② **12** 예 두 선수는 불꽃이 튀는 치열한 승부를 보여 주었습니다.

1 '매우 안타까워하거나 다급해하다.'는 '발을 구르다'의 뜻으로, 보통 문장에서는 '발을 동동 구르다'로 많이 쓰입니다.

2 '매우 강렬하게 마주 겨루다.'를 뜻하는 관용어는 '불꽃이 튀다'입니다.

3 '알맞은 대책을 매우 빠르게 정하여 행동하다.'는 관용어 '발이 빠르다'의 뜻입니다.

4 '몸을 움직일 수 없거나 활동할 수 없는 상황이 되다.'는 관용어 '발이 묶이다'의 뜻입니다.

5 학생회 활동을 몇 년이나 해서 사귀거나 알고 지내는 사람이 많다는 내용이 어울리므로 '발이 넓다'가 알맞습니다.

6 공부를 전혀 하지 않았으므로 성적이 떨어지는 것은 매우 당연한 일입니다. 이러한 상황에 알맞은 관용어는 '불 보듯 뻔하다'입니다. 같은 표현으로 '불을 보듯 훤하다' 등이 있습니다.

7 우리 강아지가 물리는 모습을 보면 매우 화가 나서 감정이 격해질 것입니다. 이러한 상황에 알맞은 관용어는 '불이 나다'입니다.

8 박자 감각이 좋은 내 친구는 드럼을 배울 때에도 그 재능이 드러났다는 내용이므로 빈칸에는 '빛을 발했다'가 알맞습니다.

9 변화에 어떻게 움직여야 살아남을 수 있을지를 생각할 때, '발 묶이게'는 몸을 움직일 수 없거나 활동할 수 없는 상황이 된다는 뜻이므로 내용에 알맞지 않습니다. 주어진 문장에서는 알맞은 대책을 매우 빠르게 정하여 행동해야 한다는 뜻의 '발 빠르게'를 써야 합니다.

오답 피하기 ① 발을 빼다: '어떤 일에서 관계를 완전히 끊고 물러나다.'의 뜻이므로 그 일과 깊이 관련되어 있어서 끊기 어렵다는 내용과 어울립니다.

② 발을 구르다: '매우 안타까워하거나 다급해하다.'의 뜻이므로 약속 시간에 늦어 버스를 기다리는 마음에 어울립니다.

③ 발 벗고 나서다: '자기 일처럼 열심히 하다.'의 뜻으로 이웃에 어려운 일이 있을 때 도와준다는 내용과 어울립니다.

④ 불똥이 튀다: '사건이나 말썽이 전혀 관계가 없는 사람에게 번져 곤란하게 되다.'의 뜻이므로 엄마의 안 좋은 기분 때문에 우리가 곤란해질 일이 생기지 않도록 조심하자는 내용과 어울립니다.

10 첫 번째 문장에서 아침이 되자 밝은 어떤 것이 방으로 들어왔다고 하였으므로 빈칸에 들어갈 낱말로는 '빛', '햇살' 등을 떠올릴 수 있습니다. 두 번째 문장에서 훌륭한 선생님을 만나 축구에 대한 재능을 인정받았다고 하였으므로 빈칸에는 '빛을 보다'의 '빛'이 들어가야 합니다. 그러므로 공통으로 들어갈 낱말은 '빛'입니다.

11 태풍으로 인해 어디에도 가지 못하고 숙소에서만 지낸 상황은 '발이 묶이다'와 바꾸어 쓸 수 있습니다.

12 채점 기준 두 선수가 매우 강렬하게 마주 겨루는 상황을 '불꽃이 튀다'를 넣어 썼으면 정답으로 합니다.

관용어 07 확인 문제

84~85쪽

1 (3) ○ 2 (3) ○ 3 ㉯ 4 ㉰ 5 ㉱ 6 ㉮ 7 ㉲ 8 (1) 배꼽 (2) 뗐다 (3) 배 9 ⑤ 10 ① 11 예 아현이는 손이 매워서 아현이에게 한 대만 맞아도 빨갛게 붓곤 했습니다. 12 예 희수는 가족이 함께 여행 갈 날을 손꼽아 기다렸습니다.

1 '배가 등에 붙다'는 배가 등에 붙은 것처럼 먹은 것이 없어서 배가 홀쭉하고 몹시 배가 고프다는 뜻입니다.

2 '손이 크다'는 돈이나 물건 혹은 마음 등을 쓰는 정도가 너그럽고 크다는 뜻으로 '손이 걸다'와 바꾸어 쓸 수 있습니다.

3 '배가 아프다'는 남이 잘되는 것에 심술이 난다는 뜻으로 '사촌이 땅을 사면 배가 아프다'라는 속담과도 연관이 있습니다.

4 '배를 두드리다'는 우리가 배부르게 먹었을 때 배를 두드리듯이 생활이 넉넉하여 편안하고 즐겁게 지내는 것을 뜻합니다.

5 '손발이 맞다'는 함께 작업하는 사람끼리 서로 잘 맞을 때 씁니다. '우리 모둠은 손발이 잘 맞아서 과제를 쉽게 끝냈다.' 등으로 활용할 수 있습니다.

6 '손을 내밀다'는 친하려고 나설 때 쓰입니다. 그러므로 제시된 문장은 경난이가 외롭던 내게 친해지려고 먼저 다가왔다는 내용입니다.

7 '배를 불리다'는 돈이나 값나가는 물건 등을 많이 차지해서 욕심을 채울 때 쓰이는 표현입니다.

8 (1) 우스꽝스러운 연기를 보고 크게 웃었다는 내용이 어울리므로 '배꼽'이 알맞습니다. (2) 너무 바빠져서 학급 신문 만드는 일을 그만두었다는 내용이므로 '손을 뗐다'라고 해야 합니다. (3) 고모가 가난했던 시절을 다 보내고 지금은 편안하게 사신다고 하는 내용이 어울리므로 '배를 두드리다'로 표현해야 합니다.

9 첫 번째 문장에서 동생이 뻔뻔하게 들리지 않는 척했다고 하였으므로 '배를 내밀다'라는 표현을 써야 합니다. 두 번째 문장에서는 조선이 일본을 멀리하기 위해 러시아와 친하게 지내려 한다는 내용이므로 '손을 내밀다'를 써야 알맞습니다. 그러므로 공통으로 들어갈 낱말은 '내밀다'입니다.

어휘력 더하기

'내밀다'와 관련된 관용어

- 고개를 내밀다: 세력, 감정 등이 나타나거나 생기다. 예 마음속 깊은 곳에서 불안감이 고개를 내밀었다.
- 혀를 내밀다: 1. 남을 비웃거나 헐뜯다. 2. 자기의 실패를 부끄럽게 여김을 나타내는 몸짓을 하다.

10 발레 학원을 다니다 그만 두었다고 하였으므로 '하던 일을 그만두다.'를 뜻하는 '손을 떼다'를 활용하여 쓸 수 있습니다.

11 채점 기준 아현이의 손에 맞아 몹시 아파하는 모습을 '아현이는 손이 매워서 아현이에게 맞은 자리가 빨개졌다.' 등과 같은 내용으로 썼으면 정답으로 합니다.

12 채점 기준 여행 갈 날을 기다리는 희수의 모습을 '희수가 여행 갈 날을 손꼽아 기다린다.' 등의 내용으로 썼으면 정답으로 합니다.

관용어 08 확인 문제

88~89쪽

1 입을 맞추다 2 어깨가 무겁다 3 어깨가 처지다 4 ○ 5 × 6 × 7 ○ 8 ○ 9 (3) × 10 (1) ○ 11 ③ 12 예 생일 선물을 받은 동생은 입이 귀밑까지 찢어졌습니다.

1 서로의 말이 같아지도록 한다는 것은 '입을 맞추다'의 뜻입니다. 보통 남을 속이려고 할 때 미리 말할 내용을 궁리하는 상황에서 사용합니다.

2 '힘겹고 중요한 일을 맡아 부담스럽다.'를 뜻하는 관용어는 '어깨가 무겁다'입니다. 책임감을 크게 느낄 때 종종 사용합니다.

3 바라던 일이 이루어지지 않아 마음이 상하여 활기나 기운이 없어졌을 때에는 '어깨가 처지다'라는 표현을 사용합니다.

4 회장으로 뽑혔다고 어깨에 힘을 주었다는 것은 잘난 척하며 남을 얕잡아 보는 태도를 보였다는 의미이므로, '잘난 척하다'로 바꾸어 쓸 수 있습니다.

5 '입을 모으다'는 여러 사람이 같은 말을 했다는 뜻입니다. '신중하게'는 바꾸어 쓰기에 알맞지 않습니다.

6 '어깨가 올라가다'는 칭찬 등을 받아 자랑스러워하는 마음이 들었다는 뜻으로, '뿌듯하다' 등과 바꾸어 쓸 수 있습니다.

7 '어깨를 겨루다'는 서로 비슷한 지위나 힘을 가진다는 뜻이므로 나와 형의 축구 실력이 비슷하다는 뜻입니다. 비슷한 관용어로 '어깨를 겨누다', '어깨를 견주다'가 있습니다.

8 '입을 막다'는 자기에게 이롭지 않은 말을 못하게 했다는 뜻이므로 '동생이 말을 못하도록 했다'와 바꾸어 쓸 수 있습니다.

9 (3) 동생이 엄마께 혼난 상황이므로 '어깨가 올라가다'라는 표현은 알맞지 않습니다.

오답 피하기 (1) '어깨가 무겁다'라는 관용어를 넣어서 회장 직책을 맡게 된 현우의 마음이 부담스럽다고 알맞게 표현했습니다.

(2) '어깨를 겨루다'는 실력이 비슷하다는 뜻이므로 지민이가 국제 수영 대회에서 유명한 선수들과 비슷한 실력을 가지고 있음을 표현하기에 알맞습니다.

(4) 당당하게 자신의 생각을 말하라는 내용이므로 '어깨를 펴다'라는 관용어가 어울립니다.

10 말만 그럴듯하게 잘할 때와 어울리지 않게 음식을 가려 먹을 때 모두 사용할 수 있는 관용어는 '입만 살다'입니다.

11 말해도 아무 소용이 없는 상황에서 사용할 수 있는 관용어는 '입만 아프다'입니다.

어휘력 더하기

'자주 말하다'와 관련된 관용어

- 입이 닳다: 다른 사람이나 물건에 대하여 거듭해서 말하다. 예 어머니는 수학여행 가는 아들에게 얼마나 조심하라고 하는지 입이 닳을 지경이었다.
  비슷한 말 입이 마르다, 입에 침이 마르다
- 입에 달고 다니다: 말이나 이야기 등을 습관처럼 되풀이하거나 자주 사용하다. 예 몸이 약한 그녀는 아프다는 말을 입에 달고 다닌다.

12 채점 기준 선물을 받고 기뻐서 입이 크게 벌어진 동생의 모습을 '선물을 받은 동생은 입이 귀밑까지 찢어졌다.' 등과 같이 썼으면 정답으로 합니다.

관용어 09 확인 문제

92~93쪽

1 ㉯ **2** ㉰ **3** ㉮ **4** 코웃음 **5** 끓는 **6** 피 **7** 피, 눈물 **8** 콧등, 시큰 **9** ㉡ **10** (1) 땅에 닿게 (2) 빨아먹으며 (3) 말리는 **11** ② **12** 예 아버지께서는 지금은 힘들더라도 경험이 쌓이면 어려움을 극복할 수 있다며 피가 되고 살이 되는 말씀을 들려 주셨습니다.

1 '약점이 잡히다.'는 '코가 꿰이다'의 뜻이므로 ㉯가 알맞습니다.

2 머리를 깊이 숙일 때 우리는 '코가 땅에 닿다'와 같이 표현합니다.

3 '몹시 괴롭거나 애가 타게 만들다.'는 '피를 말리다'의 뜻입니다.

4 남을 깔보고 비웃는다는 뜻에 어울리는 관용어는 '코웃음을 치다'입니다.

5 기분이나 감정 등이 세게 솟아오른다는 뜻의 관용어는 '피가 끓다'입니다. 글자 그대로 피가 끓어오를 정도로 감정이 격해질 때 사용합니다.

6 크게 곤란한 일을 당하거나 손해를 보는 것을 '피를 보다'라고 표현합니다. 빈칸에는 '피'를 써넣습니다.

7 남을 생각하는 따뜻한 마음이 조금도 없는 경우에 우리는 '피도 눈물도 없다'라는 관용어를 사용합니다. 흉악한 범죄를 저지른 범인을 표현할 때에 많이 쓰입니다.

8 어떤 일에 감격하거나 슬퍼서 눈물이 나오려 할 때 '콧등이 시큰하다'라는 관용어를 사용할 수 있습니다.

9 ㉠, ㉢, ㉣에는 빈칸에 '코'가 들어가고 ㉡에는 '코웃음'이 들어갑니다. ㉡ 정아가 내 말을 듣고 말도 안 되는 소리라며 비웃는 상황이므로 '코웃음을 치다'라는 관용어를 써야 합니다.

오답 피하기 ㉠: 머리를 깊이 숙여 인사하는 모습에 어울리는 관용어는 '코가 땅에 닿다'입니다.

㉢: 수연이가 상을 하나도 받지 못한 상황이므로 '코가 납작해지다'로 표현합니다.

㉣: 호영이가 수현이가 하자는 대로만 하고 있으므로 '코가 꿰이다'라는 표현이 알맞습니다.

10 (1) 절을 할 때 머리를 많이 숙인 모습을 '코가 땅에 닿다'로 표현할 수 있습니다. (2) 나쁜 관리들이 백성들이 가진 것을 빼앗가 가지며 배를 불렸다는 내용이므로 '피를 빨아먹으며'라고 표현해야 합니다. (3) 합격자 명단을 기다리는 동안 매우 애가 타는 상황이므로 '피를 말리다'라는 관용어가 어울립니다.

11 잘난 체하고 뽐내기를 잘하는 성격은 '콧대가 높다'로 표현할 수 있습니다.

12 채점 기준 아버지의 말씀을 보고, '아버지께서 지금의 경험이 피가 되고 살이 된다고 말씀하셨다.' 등의 내용으로 썼으면 정답으로 합니다.

관용어 10 확인 문제

96~97쪽

1 허리가 잘리다 **2** 혀를 내두르다 **3** 허리를 펴다 **4** 하늘이 노래지다 **5** ㉯ **6** ㉰ **7** ㉱ **8** ㉮ **9** ③ **10** ⑤ **11** ③ **12** 예 바둑이를 공원에서 잃어버렸다는 소식을 듣고 하늘이 노래졌습니다.

1 '도중에 끊어지거나 중지되다.'는 '허리가 잘리다'의 뜻입니다.

2 '몹시 놀라거나 기가 막혀서 말을 못하다.'는 '혀를 내두르다'의 뜻입니다.

3 어렵고 힘든 단계를 넘겨서 편하게 지내게 되었을 때 우리는 '허리를 펴다'를 써서 말합니다.

4 '갑자기 기력이 다하거나 큰 충격을 받아서 정신이 흐려지게 되다.'는 '하늘이 노래지다'의 뜻입니다.

5 '하늘을 찌르다'는 기세가 대단히 사납고 세차다는 뜻입니다. '사기'는 보통 단체의 씩씩한 기운을 뜻할 때 많이 쓰이는 낱말입니다.

6 '하루가 다르다'는 변화하는 속도가 눈에 뜨일 정도로 매우 빠르다는 뜻입니다.

7 '허리띠를 졸라매다'는 더 절약해서 어떤 목적을 이루고자 할 때 쓰이는 관용어입니다.

8 '하늘에 맡기다'는 사람들이 할 수 없는 영역의 일에 대해 운명을 따를 때에 쓰는 관용어입니다.

9 ③ 자신이 잘못한 일, 미안한 일을 사과할 때 어울리는 관용어는 '허리를 굽히다'입니다.

오답 피하기 ① '허리가 휘다'는 감당하기 어려운 일을 하느라 힘이 든다는 뜻이므로 교육비로 힘든 상황에 사용하기 알맞습니다.

② '허리가 잘리다'는 골프장 건설로 산의 모습이 끊어지는 상황에 알맞게 사용될 수 있습니다.

④ 이랬다저랬다 마음이 자주 바뀔 때에는 '하루에도 열두 번'이라는 관용어를 사용합니다.

⑤ '하늘과 땅'은 둘 사이에 큰 차이가 있을 때 사용하므로 내용과 어울립니다.

10 첫 번째 문장은 서현이가 크게 웃는 바람에 내 말이 중지되었다는 내용이므로 빈칸에는 '허리'가 알맞습니다. 두 번째 문장은 삼촌이 도우면 우리 가족이 조금 편하게 지낼 수 있게 된다는 내용이므로, '허리를 펴다'를 사용합니다. 그러므로 빈칸에 공통으로 들어갈 낱말은 '허리'입니다.

> 어휘력 더하기
>
> **'허리'와 관련된 관용어**
>
> • 허리가 부러지다: 1. 어떤 일에 대한 부담이 감당하기 어려운 상태가 되다. 예 일이 너무 많아서 허리가 부러질 지경이다. 2. 몹시 우습다. 예 너무 우스워서 허리가 부러질 지경이다.
>
> • 허리가 꼿꼿하다: 1. 나이에 비하여 젊다. 예 노인은 칠십이란 나이에도 불구하고 허리가 꼿꼿하였다. 2. 몸이 약간 피로하다. 예 넓은 마당을 다 쓸고 나니 허리가 꼿꼿하다.

11 그림 솜씨에 몹시 놀라 말을 못하는 상황이므로 '혀를 내두르다'와 뜻이 통합니다.

12 채점 기준 바둑이를 잃어버려서 충격받은 상황을 '바둑이를 잃어버렸다는 소리를 듣고 하늘이 노래졌다.' 등의 내용으로 썼으면 정답으로 합니다.

4주 마무리

98~99쪽

01 발, 나서 **02** 발 **03** 발, 묶 **04** 발, 빠 **05** 불똥 **06** 배, 등 **07** 배꼽 **08** 손발 **09** 맴 **10** 어깨 **11** 입, 귀밑 **12** 코, 납작 **13** 시큰 **14** 피, 말 **15** 하늘, 땅 **16** 하늘, 찌 **17** 허리 **18** 허리띠, 졸라매

한자어 01 확인 문제

104~105쪽

1 ㉤ 2 ㉢ 3 ㉥ 4 ㉯ 5 ㉢ 6 ㉤ 7 ㉮ 8 ㉣ 9 ③ 10 ③ 11 ⑤ 12 예 물을 가열했더니 수증기가 되었습니다.

1 '끼니와 끼니 사이에 음식을 먹음. 또는 그 음식.'은 '간식(間食)'의 뜻입니다.

2 '영화나 연극의 촬영이나 공연에서 쓰도록 대사와 동작과 장면 등을 자세하게 적어 놓은 글.'은 '각본(脚本)'입니다.

3 '두 절 사이에서 노래를 그치고 반주 악기로만 연주하는 부분.'을 '간주(間奏)'라고 합니다.

4 내놓은 안이 반대 없이 결정되었다는 내용이므로 빈칸에 들어갈 낱말은 '가결(可決)'입니다. '가결'은 회의에서, 제출된 의안을 좋다고 인정하여 결정하는 것을 뜻합니다.

5 트럭에 무엇이 끝난 목재들이 실려 있다고 하였으므로 보기에서 찾을 수 있는 알맞은 낱말은 '가공(加工)'입니다. '가공'은 원료나 재료에 기술과 힘을 들여 새로운 물건으로 만드는 것입니다.

6 소설의 원작자가 직접 맡아 쓴 각본이라고 하였으므로 빈칸에는 '각색(脚色)'이 어울립니다. '각색'은 소설 등을 고쳐서 연극이나 영화의 각본으로 만드는 일을 뜻합니다.

7 수입과 지출을 잘 계산해서 저축 액수를 정하는 것이 바람직하다는 내용이므로 빈칸에는 '더하거나 빼는 일.'을 뜻하는 '가감(加減)'이 알맞습니다.

8 학급 문고 설치에 대해 투표로 찬성과 반대를 결정했다는 내용이므로 빈칸에 알맞은 낱말은 '가부(可否)'입니다. '가부'는 찬성하는지 아니면 반대하는지 하는 것을 뜻합니다.

어휘력 더하기

'가부(可否)'와 '가결(可決)'의 차이

'가부(可 옳을 가, 否 아닐 부)'는 사람들에게 어떤 안건에 대해 찬성하는지 아니면 반대하는지 묻는 것을 뜻하고 '가결(可 옳을 가, 決 결단할 결)'은 이러한 '가부'를 거쳐서 안건이 좋다고 받아들여진 것을 뜻합니다. '가결'의 반대말은 '부결(否 아닐 부, 決 결단할 결)'로, 받아들이지 않기로 결정한 것을 뜻합니다.

9 ③에서 '간주'는 한 악곡의 중간에 끼워 연주하는 부분을 뜻하므로 알맞게 사용된 낱말이 아닙니다. 시간적으로 벌어진 사이를 뜻하는 '간격(間隔)'을 사용해서 올바르게 표현해야 합니다.

10 '각본'에는 두 가지 뜻이 있는데 첫 번째 문장에서는 어떤 일을 하기 위해 미리 짜고 꾸며 놓은 계획이라는 뜻으로 쓰였고, 두 번째 문장에서는 영화나 연극에서 쓰도록 대사와 동작 등을 자세하게 적어 놓은 글이라는 뜻으로 쓰였습니다.

11 '벌어진 거리'는 '간격'이라는 한자어와 바꾸어 쓸 수 있습니다. '간격'은 공간적 또는 시간적으로 벌어진 사이를 뜻할 때 사용합니다.

12 채점 기준 물을 불 위에 올려 끓이는 상황을 '가열'을 활용해 '물을 가열해서 수증기가 되었다.' 등과 같이 썼으면 정답으로 합니다.

한자어 02 확인 문제

108~109쪽

1 ㉮ 2 ㉯ 3 ㉰ 4 ○ 5 × 6 ○ 7 ○ 8 × 9 ② 10 (3) ○ 11 ③ 12 예 우리는 그 그림에 대해 서로 다른 견해를 이야기했습니다.

1 '게시나 글을 통하여 알림.'은 '고지(告知)'의 뜻입니다.

2 '학생이 실제로 가서 보고 배우는 것.'은 '견학(見學)'의 뜻으로, 한자를 풀어서 생각하면 '눈으로 보고 배우는 것.'이라고 풀이할 수 있습니다.

3 '자기 혼자만의 생각이나 감정에서 벗어나, 있는 그대로인. 또는 그런 것.'은 '객관적(客觀的)'의 뜻입니다. 보통 '주관적'이라는 낱말과 반대어로 자주 쓰입니다.

4 '객석(客席)'은 극장 등에서 구경하는 손님이 앉는 자리를 뜻하며 '관람석, 관중석' 등과 바꾸어 쓸 수 있습니다.

5 '계산(計算)'은 '수를 셈하는 것.' 등으로 바꾸어 쓸 수 있습니다. '숙제'는 '교사가 학생에게 시키는 공부와 활동.'을 뜻하므로 '계산'과 바꾸어 쓰기에 알맞지 않습니다.

6 '계략(計略)'은 남을 해롭게 하기 위하여 생각해 낸 꾀를 뜻하므로 '꾀'와 바꾸어 쓸 수 있습니다.

7 '고백(告白)'의 뜻은 '마음속에 숨기고 있는 것을 사실대로 다 말하는 것.'입니다. 그러므로 문제에서 제시한 '사실대로 말하였다'와 바꾸어 쓸 수 있습니다.

8 '견문(見聞)'은 새로운 사실을 보고 들어서 얻은 지식을 뜻합니다. 그러므로 '책을 보고 상상한 내용'은 바꾸어 쓰기에 알맞지 않습니다.

9 '견문(見聞)'은 새로운 사실을 보고 들어서 얻은 지식을 뜻하고, '견학(見學)'은 학생이 실제로 가서 보고 배우는 것을 뜻합니다. 그러므로 ②에서는 '농업 박물관으로 견문을 간다.'가 아닌, '농업 박물관으로 견학을 간다.'로 표현해야 합니다.

오답 피하기 ① 계산(計 셀 계, 算 셈 산): '값을 치르는 것.'을 뜻하므로 '점심값 계산'은 알맞은 표현입니다.
③ 계획(計 셀 계, 劃 그을 획): '앞으로 할 일을 미리 자세히 생각하여 정하는 것.'을 뜻하므로 '여행을 떠날 계획'은 알맞은 표현입니다.
④ 객관적(客 손 객, 觀 볼 관, 的 과녁 적): '자기 혼자만의 생각이나 감정에서 벗어나, 있는 그대로인. 또는 그런 것.'을 뜻하므로 '뉴스가 객관적 사실인지'는 '객관적'이라는 한자어에 알맞은 표현입니다.
⑤ 객지(客 손 객, 地 땅 지): '자기가 원래 살던 고장을 떠나 머무르는 곳.'을 뜻하므로 '어린 나이에 객지 생활을 하는 것이 안쓰러웠는지'라는 표현은 '객지'라는 한자어의 뜻과 어울립니다.

10 첫 번째 문장에서 '소비자 계략'이나 '소비자 계산'은 내용에 어울리지 않으므로 '소비자 고발이 급격히 늘고 있다.'라고 해야 합니다. 두 번째 문장에서 삼촌이 자신을 때린 사람을 경찰에 어떻게 했을지 떠올려 보면 경찰이나 수사 기관에 옳지 않은 짓을 저지른 사람을 알린다는 뜻의 '고발'이 어울립니다.

11 학급 게시판을 통해 알리는 것은 '고지(告知)'와 뜻이 통합니다. 고지는 '게시나 글을 통해 알림.'이라는 뜻입니다.

12 채점 기준 '그림에 대해 서로 다른 견해를 이야기했다.' 또는 '그림에 대해 각자의 견해를 이야기했다.' 등의 내용으로 썼으면 정답으로 합니다.

한자어 03 확인 문제

112~113쪽

1 (3) ○ **2** (3) ○ **3** ㉳ **4** ㉯ **5** ㉮ **6** ㉲ **7** ㉱ **8** ① **9** (2) × **10** ④ **11** 예 우리 가족은 로마에 여행을 가서 관광을 하였습니다. **12** 예 서울역 광장에는 기차를 타려는 수많은 사람들이 있습니다.

1 '관광(觀光)'은 '어떤 곳의 경치 · 상황 · 풍속 등을 찾아가 구경하는 것.'을 뜻합니다.

2 '근거(根據)'는 '어떤 주장이나 의견이 옳음을 뒷받침하는 까닭.'을 뜻합니다.

3 학교 폭력을 없애도록 노력해야 하므로 빈칸에는 나쁜 것이 다시 생길 수 없게 완전히 없앤다는 뜻의 '근절(根絕)'이 어울립니다.

4 야구가 끝나면 야구 경기를 구경하기 위하여 모였던 사람들이 경기장에서 쏟아져 나올 것이므로 '관중(觀衆)'이 어울립니다.

5 빈칸에는 '사물이나 현상을 관찰할 때, 그 사람이 보고 생각하는 태도나 방향 또는 처지.'의 뜻을 가진 '관점(觀點)'이 어울립니다.

6 선거에서 후보가 표를 얻기 위해 내세우는 것은 '공약(公約)'입니다. 그러므로 빈칸에는 '선거의 입후보자가 사회의 모든 사람에게 어떤 일을 하겠다고 약속하는 것.'을 뜻하는 '공약'이 들어가는 것이 알맞습니다.

7 경찰서, 우체국, 소방서, 보건소 등은 대표적인 공공 기관입니다. 그러므로 빈칸에 알맞은 낱말은 '공공(公共)'입니다.

어휘력 더하기

'공공(公 공평할 공, 共 한가지 공)'이 어울리는 어휘
'공공'은 국가나 우리 사회를 구성하는 사람들 모두에게 해당하는 기관이나 단체, 목적 등에 자주 쓰입니다. 예 공공 기관 / 공공 생활 / 공공의 이익 / 공공의 복지

8 '광범위(廣 넓을 광, 範 법 범, 圍 에워쌀 위)'는 '범위가 넓은 것.'을 뜻합니다.

9 (2) 우리 반 모두가 볼 수 있도록 하자고 하셨으므로 '공개(公開)'가 알맞습니다. '공약'은 선거의 입후보자 등이 사람들에게 어떤 일을 하겠다고 약속하는 것을 뜻합니다.

오답 피하기 (1) 주장을 할 때는 주장이 옳음을 뒷받침하는 까닭인 근거를 알맞게 말해야 하므로 '근거'의 쓰임이 알맞습니다.
(3) 언어 파괴 현상이 요즘 학생들에게 대다수로 나타나고 있다는 내용이므로 '광범위'는 알맞게 쓰였습니다.

10 '중심이자 바탕'에 어울리는 한자어는 '근간(根幹)'입니다. '근간'은 일이나 사물 등의 바탕이나 중심이 되는 중요한 것을 뜻합니다.

11 채점 기준 가족이 관광지에 가서 구경하는 상황을 '우리 가족은 관광을 하였다.' 등과 같이 썼으면 정답으로 합니다.

12 채점 기준 '광장에 사람들이 있다.' 등의 내용으로 썼으면 정답으로 합니다.

한자어 04 확인 문제

116~117쪽

1 대면 **2** 능률 **3** 대체 **4** ㉣ **5** ㉥ **6** ㉤ **7** ㉮ **8** ㉰ **9** ④ **10** (3) ○ **11** ⑤
12 예 희수는 글을 쓰는 능력이 뛰어나서 교내 글짓기 대회에서 상을 받았습니다.

1 '직접 얼굴을 마주 보며 만나는 것.'은 '대면(對面)'의 뜻입니다.

2 '일정한 시간에 할 수 있는 일의 양. 일의 효율.'은 '능률(能率)'의 뜻입니다. 주로 '일의 능률을 높이다.', '능률이 낮다.' 등과 같이 쓰입니다.

3 '무엇을 그 비슷한 기능이나 능력을 가진 다른 것으로 바꾸는 것.'은 '대체(代替)'의 뜻입니다.

4 목표했던 바를 이루기 위해 최선을 다하자는 내용이 어울리므로 '달성(達成)'이 알맞습니다.

5 여름에는 뇌염을 막을 수 있는 계획이 필요하다는 내용이 어울리므로 빈칸에는 '대책(對策)'이 알맞습니다.

6 열심히 노력한 것에 대한 정당한 보람 또는 보수를 반드시 받게 될 것이라는 내용이므로 빈칸에는 '어떤 일에 들인 노력이나 수고에 대한 보수나 보람.'을 뜻하는 '대가(代價)'가 알맞습니다.

7 빈칸에는 자기의 힘과 생각으로 활동한다는 뜻인 '능동적(能動的)'이 어울립니다.

8 평소에는 조용하지만 일단 이야기를 시작하면 굉장히 말을 잘한다는 내용이 어울리므로 빈칸에는 '달변(達辯)'이 알맞습니다.

9 ④에서 '능률'은 '일정한 시간에 할 수 있는 일의 양. 일의 효율.'을 뜻합니다. 따라서 '그는 동화를 재미있게 들려주는 일의 양이 뛰어나다.'와 같은 뜻이 되므로 어색합니다. '능률' 대신 일을 할 수 있는 힘이나 재주를 뜻하는 '능력(能力)'을 사용해 '동화를 재미있게 들려주는 능력'으로 고쳐야 합니다.

10 빈칸에 공통으로 들어갈 한자는 대신할 대(代)로, 주로 '대신하다' 또는 '교체하다' 등과 같은 뜻을 나타냅니다.

어휘력 더하기

(1) **'大(큰 대)'가 들어가는 한자어** 예
- 대가(大 큰 대, 家 집 가): 전문 분야에서 뛰어나 권위를 인정받는 사람.
- 대의(大 큰 대, 義 옳을 의): 사람으로서 마땅히 지키고 행하여야 할 큰 도리.
- 대인(大 큰 대, 人 사람 인): 어른, 성인

(2) **'對(대할 대)'가 들어가는 한자어** 예
- 대담(對 대할 대, 談 말씀 담): 마주 대하고 말함.
- 대인(對 대할 대, 人 사람 인): 다른 사람을 상대함.

11 어떠한 일에 대응하기 위하여 미리 하는 준비는 '대비(對備)'와 바꾸어 쓸 수 있습니다. '대비'는 '앞으로 있을지도 모를 힘들거나 어려운 일을 겪지 않기 위해서 미리 준비하는 것.'을 뜻합니다.
오답 피하기 ① 능률(能率): 일정한 시간에 할 수 있는 일의 양이나 비율을 말할 때 씁니다.
② 달성(達成): 목적한 것을 이루었을 때 씁니나.
③ 대가(代價): 물건의 값을 치르거나 일을 하고 보수를 받을 때 씁니다.
④ 대면(對面): 얼굴을 마주 보고 대할 때 씁니다.

12 채점 기준 글짓기 대회에서 우수한 성적을 거둔 것은 글짓기 능력이 뛰어나다고 할 수 있으므로 '능력'을 넣어 '글쓰기 능력이 뛰어나서 글짓기 대회에서 상을 받았다.' 등의 내용으로 썼으면 정답으로 합니다.

한자어 05 확인 문제

120~121쪽

1 ㉯ **2** ㉰ **3** ㉮ **4** 이윤 **5** 이권 **6** 동기 **7** 여정 **8** 면허 **9** ② **10** (1) 동력 (2) 면허 (3) 여정 (4) 동기 **11** ⑤ **12** 예 독감 예방 주사를 맞으면 독감에 면역이 생깁니다.

1 '기계를 움직여서 일을 하게 하는 힘.'은 '동력(動力)'의 뜻입니다.

2 '책임이나 의무를 맡지 않게 하거나 벗어나게 하는 것.'은 '면제(免除)'의 뜻입니다.

3 '주로 비행기, 배, 기차 등을 타고 여행을 하고 있는 사람.'은 '여객(旅客)'의 뜻입니다. 여객을 태워 나르기 위한 비행기는 '여객기', 여객을 태워 나르기 위한 배는 '여객선'이라고 합니다.

4 '장사를 하여 남은 돈.'은 '이윤(利潤)'의 뜻입니다. '이윤을 남기다.', '이윤이 없다.' 등으로 쓰입니다.

5 '이익을 얻을 수 있는 권리.'는 '이권(利權)'의 뜻입니다. '이권'은 보통 나라와 나라 사이, 기업과 기업 사이에 경제적 이익이 관련되었을 때에 많이 사용합니다.

6 '어떤 특별한 일을 하게 된 심리적인 이유나 원인.'은 '동기(動機)'의 뜻입니다. 예문에서 어머니께서는 내가 일찍 일어나게 된 이유나 원인, 즉 동기가 무엇인지 궁금해하신다고 하였습니다.

7 '여행 중에 거쳐 가는 길이나 과정, 또는 여행의 일정.'은 '여정(旅程)'의 뜻입니다. '여정'과 '여행', '여객'의 뜻 차이를 생각하며 각 한자어를 알맞게 사용해야 합니다.

8 '어떤 기술을 쓸 수 있도록 국가나 특정 기관에서 인정해 주는 권리나 자격.'은 '면허(免許)'의 뜻입니다. 보통 '운전면허', '면허 취소' 등으로 쓰입니다.

9 ②는 홍역 예방 주사를 한 번 맞으면 평생 동안 항체가 생겨서 병에 걸리지 않는다는 뜻이 어울리므로 '면허(免許)'가 아니라 '면역(免疫)'을 써야 합니다.

10 (1) 경운기는 힘이 약해 언덕을 잘 오르지 못한다는 뜻이 어울리므로 '동력(動力)'이 알맞습니다. (2) 삼촌이 열심히 공부하시는 것은 의사가 되기 위한 자격을 따기 위해서라는 내용이 어울리므로 '면허(免許)'가 알맞습니다. (3) '어머니께서 일주일의 짧은 여정으로 미국을 둘러보고 오셨다.'가 알맞습니다. '여객(旅客)'은 '비행기나 기차 등을 타고 여행을 하고 있는 사람.'을 뜻하므로 내용에 알맞지 않습니다. (4) 범죄자가 범행을 일으킨 이유가 신문에 자세하게 적혀 있었다는 내용이 어울리므로 '동기(動機)'가 알맞습니다.

11 '자기만 생각하는 마음'은 '이기심(利己心)'과 바꾸어 쓸 수 있습니다. 뒤에 나오는 '모두를 위하는 마음'은 '이기심'의 반대말인 '이타심(利 이로울 리, 他 다를 타, 心 마음 심)'으로 바꾸어 쓸 수 있습니다.

12 채점 기준 '예방 주사를 맞으면 면역이 생긴다.' 등의 내용으로 썼으면 정답으로 합니다.

5주 마무리

122~123쪽

01 공 **02** 열 **03** 본 **04** 석 **05** 학 **06** 산 **07** 획 **08** 고 **09** 개 **10** 약 **11** 광 **12** 거 **13** 률 **14** 대 **15** 대 **16** 요 **17** 정 **18** 기

한자어 06 확인 문제

126~127쪽

1 (3) ○ **2** (2) ○ **3** ㉱ **4** ㉯ **5** ㉳ **6** ㉰ **7** ㉲ **8** (3) × **9** ⑤ **10** ② **11** 예 이번 대회에서 능력 있는 신인 가수가 많이 발굴되었으면 좋겠습니다. **12** 예 방음이 잘 되어 있는 방에서 피아노를 치니 소리가 잘 들리지 않았습니다.

1 '방목(放牧)'은 그림과 같이 '양 · 염소 · 소 · 말 등을 산이나 들에 풀어 놓고 기르는 일.'을 뜻합니다.

2 '방역(防疫)'은 '전염병이 발생하거나 널리 퍼지는 것을 미리 막는 것.'을 뜻합니다.

3 싸움이 벌어지게 된 이유는 아주 사소한 오해라는 뜻이 어울리므로 빈칸에 알맞은 말은 '발단(發端)'입니다.

4 나는 우리 팀의 높은 평가와 그에 따르는 영광을 위해 최선을 다할 것이라는 뜻으로, 빈칸에 알맞은 말은 '명예(名譽)'입니다.

5 다 이긴 경기였는데 조심하지 않고 마음을 놓았다가 역전을 당했다는 내용이 알맞으므로 빈칸에 들어갈 말은 '방심(放心)'입니다.

6 땅속에 묻힌 문화재를 밖으로 파내는 것은 '발굴(發掘)'입니다.

7 좋아하던 텔레비전 프로그램이 시청률이 낮아 중단되었다고 하였으므로 빈칸에는 '방송(放送)'이 알맞습니다.

8 (3) '방심(放心)'은 조심하지 않고 마음을 놓는 것을 뜻하므로 그동안의 수고를 인정받아 받을 수 있는 자격과 관련된 낱말로 알맞지 않습니다. 훌륭한 일을 기억하고 존경의 뜻을 나타내기 위하여 붙여 주는 이름을 뜻하는 '명예(名譽)'를 써서 '명예 회원의 자격을 얻었다.'가 어울립니다.

오답 피하기 (1) '명망(名望)'은 '이름이 나고 세상 사람이 우러르고 따르는 것.'을 뜻하므로 실력 있는 의사로 명망이 높았다는 내용은 알맞습니다.
(2) 사람들의 생활이 더욱 편리해진 것은 과학 기술이 더 좋은 상태로 변하였기 때문입니다. 그러므로 '더 좋은 상태로 변하는 것.'을 뜻하는 '발전(發 필 발, 展 펼 전)'은 알맞게 쓰였습니다.

9 '공격(攻擊)'은 '적군을 치거나 상대편을 이기기 위한 적극적인 행동.'을 뜻합니다. '공격'의 반대말은 '방어(防禦)'입니다.

10 '구실이나 이유'는 '명분(名分)'과 바꾸어 쓸 수 있습니다. '명분'은 '각각의 이름이나 위치에 따라 마땅히 지켜야 할 도리.' 또는 '겉으로 내세우는 이유나 구실.'을 뜻합니다.

11 **채점 기준** 알려지지 않았던 새로운 가수들을 찾아내는 상황을 '발굴'을 넣어 '신인 가수 발굴' 등과 같은 내용으로 썼으면 정답으로 합니다.

12 **채점 기준** 그림의 상황이 잘 드러나도록 '피아노', '방음' 등의 낱말을 넣어 썼으면 정답으로 합니다.

한자어 07 확인 문제

130~131쪽

1 ㉣ **2** ㉡ **3** ㉢ **4** 부재 **5** 복습 **6** 보고 **7** 비율 **8** 비유 **9** ① **10** ① **11** ③
12 예 엄마는 물건을 살 때 항상 여러 상품에 대한 비교를 해 보고 구입하십니다.

1 '도리에 어긋나서 옳지 않음.'은 '부당(不當)'의 뜻입니다. 보통 '아닐 부(不)'를 사용하면 뒤에 오는 낱말의 뜻을 부정하는 뜻으로 많이 쓰입니다.

2 '남에게 입은 은혜나 고마움을 갚는 것.'은 '보답(報答)'의 뜻입니다.

3 '부서지거나 깨뜨려져 무너진 것을 다시 본래의 상태로 고치는 것.'은 '복구(復舊)'의 뜻입니다.

4 여러 번 전화를 했지만 담당자가 자리에 있지 않아서 통화를 못 하였다는 내용이 어울리므로 '부재(不在)'가 알맞습니다.

5 다음 날 시험을 보기 위해서는 배웠던 내용을 다시 공부하여 익히는 '복습(復習)'을 해야 합니다. '보답(報答)'은 '남에게 입은 은혜나 고마움을 갚는 것.'을 뜻합니다.

6 결석한 학생 수를 선생님께 알려 드린 것이므로 '보고(報告)'가 알맞습니다. '보도(報道)'는 보통 어떤 사실을 신문이나 방송 등을 통해 여러 사람에게 알리는 것을 말합니다.

7 전체 인구 중 농촌 인구가 차지하는 수적인 부분이 점점 줄어들고 있다는 내용이므로 '비율(比率)'이 알맞습니다.

8 '소나무'에 '절개 있는 선비'를 빗대어 표현하였으므로 '비유(比喩)'가 알맞습니다.

9 ①에서 싸움에서 진 군인이 분노와 더불어 남의 호의나 은혜를 갚음을 뜻하는 '보답'의 감정을 느꼈다는 것은 어색합니다. 원수를 갚고 싶은 감정, 즉 '복수(復讐)'의 감정을 느꼈다고 써야 합니다.

10 첫 번째 문장에서는 우리 선수의 금메달 소식이 신문에 나왔다는 내용이므로 어울리는 낱말에는 '보도'가 있습니다. 두 번째 문장에는 뉴스 '보도'가 어울리므로 두 문장에 공통으로 들어갈 낱말은 '보도'입니다.

어휘력 더하기

보도(步道)와 보도(報道)

우리는 사람이 다니는 길을 말할 때에도 '보도'라는 낱말을 씁니다. 이때의 '보도(步 걸음 보, 道 길 도)'는 넓은 도로의 양쪽 편으로 사람만이 다니게 만든 길을 뜻하고, 문제에 나온 '보도(報 알릴 보, 道 길 도)'는 어떤 사실을 신문, 방송 등을 통해 여러 사람에게 알리는 것을 뜻합니다. 두 낱말은 소리는 같으나 뜻은 전혀 다른 '동음이의어'에 해당합니다.

11 '정의와 윤리에 어긋난'은 '부도덕한'과 바꾸어 쓸 수 있습니다. '부도덕(不道德)'은 도덕에 어긋났다는 뜻입니다.

12 채점 기준 물건들을 서로 견주어 보는 엄마의 모습을 '비교'를 넣어 '물건을 비교하고 있다.' 등과 같이 썼으면 정답으로 합니다.

한자어 08 확인 문제

134~135쪽

1 ㉯ **2** ㉮ **3** ㉰ **4** 산유국 **5** 소등 **6** 소비 **7** 서막 **8** 산업 **9** (2) × **10** ③ **11** ④ **12** 예 연어가 강을 거슬러 올라 산란을 하였습니다.

1 '알을 낳음.'은 '산란(産卵)'의 뜻입니다. 여기에서 한자 '산(産)'은 '낳다.'로 풀이합니다.

2 '점점 줄어들어 없어지는 것.'은 '소멸(消滅)'의 뜻입니다.

3 '나라와 민족을 위하여 일하다가 목숨을 바친 사람.'을 '의사(義士)'라고 합니다.

어휘력 더하기

의사(義士)와 열사(烈士)

의사(義 옳을 의, 士 선비 사)는 주로 무력(武 무인 무, 力 힘 력)으로써 맞서 싸우다 의롭게 돌아가신 분들을 뜻하고, 열사(烈 매울 열, 士 선비 사)는 맨몸으로써 저항하여 자신의 지조를 나타낸 분들을 뜻하는 말입니다.

예 안중근 의사 / 유관순 열사

4 '원유를 만들어 내는 나라.'는 산유국(産油國)입니다. 보통 산유국에서 원유 생산량을 줄이면 전 세계의 원유 가격은 크게 오릅니다.

5 '등불을 끄는 것.'은 '소등(消燈)'의 뜻입니다. 한자를 쉽게 풀어서 생각하면 '등을 없애다.'이므로 '등불을 끈다.'의 의미를 떠올릴 수 있습니다.

6 '돈·물품·시간·힘 등을 써서 없애는 것.'을 '소비(消費)'라고 합니다. 낙농업은 '젖소·염소 등을 길러 젖을 짜고, 그 젖으로 버터나 치즈 등을 만드는 농업.'을 뜻합니다.

7 '연극 등에서 처음 여는 막.'을 '서막(序幕)'이라고 합니다. '서막'은 이외에도 '일의 시작이나 발단.'을 뜻하기도 합니다.

8 '자연에서 자원을 얻거나 이를 이용하여 생활에 필요한 물자를 생산하는 일.'을 '산업(産業)'이라고 합니다.

9 (2) 인터넷의 발달로 인해 종이 신문은 점점 사라져 가고 있으므로 '생성(生成)'이 아닌 '소멸(消滅)'을 써야 합니다.

오답 피하기 (1) '권리'와 '의무'는 서로 반대되는 말로, 자주 함께 쓰이는 낱말입니다. '권리(權利)'는 '어떤 일을 자기 마음대로 할 수 있는 올바른 자격.'을 뜻하고 '의무(義務)'는 '마땅히 해야 할 일.'을 뜻합니다.
(3) 어려운 친구의 일에 적극적으로 나서는 행동은 의리(義理)가 있다고 말할 수 있습니다.
(4) '산란(産卵)'은 '알을 까는 것.'이므로 문장의 뜻과 어울립니다.

10 첫 번째 문장에서 군대는 계급에 따라 '서열, 순서, 차례' 등이 정해진다고 할 수 있고, 두 번째 문장에서도 모임에서 중간 정도에 해당한다고 하였으므로 '서열, 순위' 등을 떠올릴 수 있습니다. 보기에서 찾을 수 있는 알맞은 낱말은 '서열(序列)'입니다.

11 마땅히 진실을 알리는 것은 언론이 해야 할 일이므로 이를 언론의 '의무'로 바꾸어 말할 수 있습니다. 따라서 빈칸에는 공통으로 '의무'가 들어가야 합니다.

12 채점 기준 연어가 강에 알을 낳는 상황을 '산란'을 넣어 '연어가 산란을 한다.' 등의 내용으로 썼으면 정답으로 합니다.

한자어 09 확인 문제

138~139쪽

1 ㉯ 2 ㉲ 3 ㉮ 4 ㉳ 5 × 6 × 7 ○ 8 ○ 9 (1) ○ (2) ○ (3) × (4) ○ 10 ㉡ 11 ② 12 예 부모님은 절망에 빠진 나에게 희망을 주셨습니다.

1 '자기 자신의 힘으로 살아감.'은 '자생(自生)'의 뜻입니다. '자생'에는 '저절로 나서 자람.'의 뜻도 있습니다.

2 '앞으로 나아가며 적을 공격하는 것.'은 '진격(進擊)'의 뜻입니다. '진(進)'에 나아가다의 의미가, '격(擊)'에 공격하다의 의미가 있습니다.

3 '스스로 깨닫거나 느끼는 것. 또는 그 느낌.'을 '자각(自覺)'이라고 합니다. 여기에서 '각(覺)'은 '깨닫다, 느끼다.'와 같은 의미가 있습니다.

4 '어떤 한 가지 일에만 달라붙어 정신을 쏟는 것.'을 '집념(執念)'이라고 합니다.

5 '집착(執着)'은 '어떤 것에 늘 마음이 쏠려 잊지 못하고 매달림.'을 뜻합니다. 이는 '몹시 미워하는 마음.'인 '증오'와 바꾸어 쓰기에 알맞지 않습니다.

6 '자주(自主)'는 '남의 간섭을 받지 않고 자기의 일을 스스로 결정하고 처리하는 것.'을 뜻합니다. '평화(平 평평할 평, 和 화할 화)'는 '나라나 사람들 사이에 심한 싸움이 없는 조용한 상태.'를 뜻하므로 바꾸어 쓰기에 알맞지 않습니다.

7 '절정(絕頂)'은 '최고의 상태.'를 뜻하므로 '그 이상 더없는 최고의 상태.'를 뜻하는 '정상(頂 정수리 정, 上 윗 상)'과 바꾸어 쓸 수 있습니다.

8 '진일보(進一步)'는 '한 단계 더 높이 발전해 나아감을 나타내는 말.'입니다. 그러므로 '발전(發展)'과 바꾸어 쓸 수 있습니다.

9 (3)에서 앞으로 나아가며 적을 공격하는 것은 '진격(進擊)'이라고 합니다.

10 ㉠, ㉢, ㉣의 빈칸에 들어갈 낱말은 '진로(進路)'이고, ㉡은 '절경(絕景)'을 써야 알맞습니다. '절경'은 '뛰어나게 아름다운 경치.'를 뜻하므로 눈이 온 설악산이 매우 아름답다는 내용을 표현하기에 알맞습니다.

11 첫 번째 문장에서 학생들이 학교를 졸업한 뒤 혼자 살아갈 수 있도록 길러 주어야 하는 힘은 '자기 자신의 힘으로 살아감.'을 뜻하는 '자생'의 힘입니다. 두 번째 문장에서도 산에서 저절로 나서 자라는 '자생' 식물들이 다양하게 살아간다는 내용이 어울립니다.

12 채점 기준 아들의 표정과 부모님의 말을 보고 '부모님께서 절망에 빠진 나를 위로해 주셨다.' 등의 내용으로 썼으면 정답으로 합니다.

한자어 10 확인 문제

142~143쪽

1 ㉰ 2 ㉮ 3 ㉯ 4 파기 5 추진 6 추천 7 추리 8 통계 9 ③ 10 (3) × 11 ⑤ 12 예 주문한 물건이 배달되었는데, 파손이 되어 있어서 속이 상했습니다.

1 '질서·제도·규범 등을 어기지 않게 다스리는 것.'은 '통제(統制)'의 뜻입니다. 보통 '통제'는 '법이 사회를 통제한다.', 또는 '교통 통제' 등으로 사용됩니다.

2 얼굴에 화장품을 바르거나 문질러 얼굴을 곱게 꾸미는 것을 '화장(化粧)'이라고 합니다.

3 '물질의 성분, 구조, 물질들의 반응 등을 연구하는 자연 과학의 한 분야.'는 '화학(化學)'의 뜻입니다.

4 계약, 조약, 약속 등을 깨뜨려 버리는 것을 '파기(破棄)'라고 합니다. 예시 문장에서도 어떤 회사가 계약금을 잃은 것은 계약이 잘 이루어지지 않고 깨졌기 때문일 것이므로 내용에 어울리는 낱말은 '파기'입니다.

5 '어떤 목적을 위해서 일을 계속 밀고 나가는 것.'은 '추진(推進)'의 뜻입니다. '파손(破損)'은 '깨어져 온전하지 못하게 하는 것.'을 뜻하므로 알맞지 않습니다.

6 '어떠한 일에 알맞은 사람이나 물건을 책임지고 소개하는 것.'은 '추천(推薦)'의 뜻입니다. 이 낱말은 예시 문장처럼 '~으로 누구를 추천했다.'와 같이 사용됩니다.

7 '아는 사실을 미루어 아직 모르는 사실을 알아내려고 하는 것.'은 '추리(推理)'의 뜻입니다. 보통 '추리 소설', '영화 속 범인을 추리했다.'와 같이 쓰입니다.

8 '어떤 현상을 종합적으로 한눈에 알아보기 쉽게 일정한 원칙에 따라 숫자로 나타냄. 또는 그런 것.'은 '통계(統計)'의 뜻입니다. 우리나라에서는 5년마다 총 인구수에 대한 통계를 나타냅니다.

9 ③에서 '파산(破産)'의 뜻이 잘못되었습니다. '파산'은 '재산을 모두 잃고 망함.'이라는 뜻입니다.

10 (3) 미시령은 눈이 많이 내려 교통 통계가 아닌 교통 통제가 이루어지고 있다고 해야 내용에 알맞습니다.

오답 피하기 (1) 신라가 가야를 합쳐 하나로 만들면 나라의 힘을 키울 수 있었을 것이므로 '통합'은 알맞게 쓰였습니다.

(2) 화장을 지운 엄마의 얼굴에 주름이 늘어 있었다고 하였으므로 내용에 어울립니다.

11 첫 번째 문장에서 삼촌이 대학에서 어떤 과목을 배운 뒤 화장품 회사에 들어갔다고 하였으므로 수학이나 화학을 고를 수 있습니다. 두 번째 문장에서는 천연 비누가 사람들에게 인기라고 했는데, 천연(天 하늘 천, 然 그럴 연)은 화학 성분이 섞이지 않은 것을 뜻합니다. 그러므로 두 문장에서 공통으로 들어갈 한자어는 '화학'입니다.

12 채점 기준 물건이 깨어져 온전하지 못한 상황을 보고 '파손'을 넣어 '물건에 파손이 있어서 속이 상했다.' 등과 같이 썼으면 정답으로 합니다.

6주 마무리

144~145쪽

01 굴 **02** 목 **03** 심 **04** 방 **05** 음 **06** 도 **07** 구 **08** 비 **09** 란 **10** 등 **11** 무 **12** 생 **13** 경 **14** 망 **15** 필 **16** 손 **17** 합 **18** 석

한자성어 01 확인 문제

150~151쪽

1 (2) ○ **2** (2) ○ **3** 결초보은 **4** 개과천선 **5** 견물생심 **6** 격세지감 **7** 과유불급 **8** (3) × **9** (1) ○ **10** ④ **11** 예 태현이는 물에 빠졌다가 구사일생으로 살아났습니다. **12** 예 매일 지각하던 규영이는 개과천선해서 학교에 일찍 오기 시작했습니다.

1 '괄목상대(刮目相對)'는 눈을 비비고 상대편을 본다는 뜻으로, 남의 지식이나 재주가 놀랄 만큼 부쩍 좋아진 것을 나타내는 말입니다.

어휘력 더하기

'괄목상대'와 비슷한 뜻의 한자성어

- 일취월장(日 날 일, 就 나아갈 취, 月 달 월, 將 장수 장): 나날이 다달이 자라거나 발전함.
- 일진월보(日 날 일, 進 나아갈 진, 月 달 월, 步 걸을 보): 나날이 다달이 계속하여 진보·발전함.

2 '감언이설(甘言利說)'은 남을 속이기 위하여 남의 비위에 맞게 이로운 듯이 꾸며서 하는 말입니다.

오답 피하기 (1) '좋은 일 위에 또 좋은 일이 더하여짐을 뜻하는 말.'은 '금상첨화(錦上添花)'의 뜻입니다.

3 죽은 뒤에라도 은혜를 잊지 않고 갚음을 뜻하는 말은 '결초보은(結草報恩)'입니다.

4 말썽쟁이가 모범생이 되었다고 했으므로 지난날의 잘못이나 실수를 고쳐 올바르고 착하게 됨을 뜻하는 '개과천선(改過遷善)'이 알맞습니다.

5 어떠한 물건을 보게 되면 그것을 가지고 싶은 욕심이 생김을 뜻하는 것은 '견물생심(見物生心)'입니다.

6 고향이 너무 달라진 모습이라고 했으므로 오래지 않은 동안에 몰라보게 변하여 아주 다른 세상이 된 것 같은 느낌을 뜻하는 '격세지감(隔世之感)'이 들어가야 합니다.

7 지나친 것은 부족한 것보다 못하다는 뜻으로, 어느 한쪽으로도 치우침이 없는 상태가 중요함을 나타내는 말은 '과유불급(過猶不及)'입니다.

8 (3) 지나친 것은 부족한 것보다 못하다는 뜻인 '과유불급(過猶不及)'은 일손이 턱없이 부족한 상황을 표현하기에 알맞지 않습니다.

오답 피하기 (1) 민정이가 피나는 노력을 해서 피아노 연주 실력이 놀랄 만큼 부쩍 늘었다는 내용이므로 '괄목상대(刮目相對)'는 알맞습니다.

(2) 할머니께서 스마트폰으로 책을 읽는 나를 보고 아주 다른 세상이 된 것 같은 느낌이 드셨다는 내용이므로 '격세지감(隔世之感)'은 알맞습니다.

9 어떠한 물건을 보면 그것을 가지고 싶은 욕심이 생기니 가지 말자고 말하는 상황이므로 '견물생심(見物生心)'이 알맞습니다.

10 지난날의 잘못이나 실수를 고쳐 올바르게 된 게으름뱅이의 이야기는 '개과천선(改過遷善)'과 관련이 있습니다.

11 채점 기준 물에 빠졌다가 겨우 살아난 태현이의 상황을 '구사일생'을 넣어 표현했으면 정답으로 합니다.

12 채점 기준 지각하던 버릇을 고친 규영이의 모습을 '개과천선'을 넣어 '지각만 하던 규영이가 개과천선했다.' 등과 같이 표현했으면 정답으로 합니다.

한자성어 02 확인 문제

154~155쪽

1 ㉰ **2** ㉮ **3** ㉯ **4** 노심초사 **5** 기사회생 **6** 권선징악 **7** 군계일학 **8** 다다익선 **9** ② **10** ⑤ **11** ⑤ **12** 예 산에 오르니 좋은 경치도 볼 수 있고 맑은 공기도 들이마실 수 있어서 금상첨화입니다.

1 비단 위에 꽃을 더한다는 뜻으로, 좋은 일 위에 또 좋은 일이 더해짐을 나타내는 말은 '금상첨화(錦上添花)'입니다.

2 아홉 마리의 소 가운데 박힌 하나의 털이란 뜻으로, 매우 많은 것 가운데 아주 적은 수를 나타내는 말은 '구우일모(九牛一毛)'입니다.

3 주머니 속의 송곳이라는 뜻으로, 재능이 뛰어난 사람은 숨어 있어도 저절로 사람들에게 알려짐을 나타내는 말은 '낭중지추(囊中之錐)'입니다.

4 거짓말이 밝혀질까 봐 걱정할 때에는 몹시 마음을 쓰며 애를 태운다는 뜻이 어울리므로 '노심초사(勞心焦思)'가 알맞습니다.

5 1 대 0으로 지고 있다가 끝나기 직전에 골을 넣은 상황에서는 거의 죽을 뻔하다가 다시 살아났다는 뜻이 어울리므로 '기사회생(起死回生)'이 알맞습니다.

6 착한 일을 권하여 힘쓰게 하고 못되고 나쁜 일에 벌을 준다는 뜻이 어울리므로 '권선징악(勸善懲惡)'이 알맞습니다. 우리의 옛이야기들은 착한 사람은 상을 받고 나쁜 사람은 벌을 받는 권선징악을 주제로 한 것이 많습니다.

7 많은 참가자 가운데서 실력으로 볼 때 그가 뛰어난 인물이라는 뜻이 어울리므로 '군계일학(群鷄一鶴)'이 알맞습니다.

8 독서를 좋아하는 현서에게 책은 많으면 많을수록 더욱 좋다는 뜻이 어울리므로 '다다익선(多多益善)'이 알맞습니다.

9 많은 사람 가운데서 뛰어난 인물을 가리키는 '군계일학(群鷄一鶴)'이 알맞습니다.

10 착한 흥부가 복을 받고 못된 놀부가 벌을 받는 것이 많으면 많을수록 더욱 좋다는 표현은 어색합니다. 따라서 '다다익선(多多益善)'이 아닌 '권선징악(勸善懲惡)'을 사용해야 합니다.

오답 피하기 ① 노심초사(勞心焦思): '몹시 마음을 쓰며 애를 태움.'을 뜻하므로, 엄마가 겨우 잠든 아기가 깰까 봐 애를 태우는 상황에 알맞습니다.

② 금상첨화(錦上添花): '좋은 일 위에 또 좋은 일이 더하여짐을 나타내는 말.'로 디자인도 예쁘고 따뜻하기까지 한 외투에 알맞은 표현입니다.

③ 기사회생(起死回生): '거의 죽을 뻔하다가 다시 살아남.'을 뜻하므로 망가진 시계를 고친 상황에 '기사회생'은 알맞은 표현입니다.

④ 낭중지추(囊中之錐): '재능이 뛰어난 사람은 숨어 있어도 저절로 사람들에게 알려짐을 나타내는 말.'로 총명한 아이가 많은 사람 틈에서도 눈에 띈다는 내용에 알맞습니다.

11 수많은 우표 중 일부에 지나지 않는다는 내용은 매우 많은 것 가운데 아주 적은 수를 이르는 말인 '구우일모(九牛一毛)'와 뜻이 통합니다.

12 채점 기준 산에 올라 좋은 경치도 보고 맑은 공기도 마실 수 있다는 내용을 '금상첨화'를 넣어 썼으면 정답으로 합니다.

한자성어 03 확인 문제 158~159쪽

1 대기만성 **2** 마이동풍 **3** 동상이몽 **4** ○
5 × **6** ○ **7** ○ **8** × **9** ② **10** (3) ×
11 (1) ○ **12** 예 민주는 숙제 다 했냐는 엄마의 물음에 동문서답했습니다.

1 큰 그릇을 만드는 데는 시간이 오래 걸린다는 뜻으로, 크게 될 사람은 늦게 이루어짐을 나타내는 말은 '대기만성(大器晩成)'입니다.

2 동쪽에서 부는 바람이 말의 귀를 스쳐 간다는 뜻으로, 남의 의견이나 충고를 귀담아듣지 않고 지나쳐 흘려버림을 나타내는 말은 '마이동풍(馬耳東風)'입니다.

3 같은 자리에 자면서 다른 꿈을 꾼다는 뜻으로, 겉으로는 같이 행동하면서도 속으로는 각각 딴생각을 하고 있음을 나타내는 말은 '동상이몽(同床異夢)'입니다.

4 '다재다능(多才多能)'은 재주와 능력이 여러 가지로 많음을 뜻합니다.

5 '막상막하(莫上莫下)'는 더 낫고 더 못함의 차이가 거의 없음을 뜻하므로 둘 사이에 큰 차이나 거리가 있음을 뜻하는 '하늘과 땅 차이'로는 바꾸어 쓸 수 없습니다.

> 어휘력 더하기
> **'막상막하'와 비슷한 뜻의 한자성어**
> 난형난제(難 어려울 난, 兄 맏 형, 難 어려울 난, 弟 아우 제): 누구를 형이라 하기도 어렵고 아우라 하기도 어렵다는 뜻으로, 서로 비슷비슷하여 우열을 가리기 어려움을 나타내는 말.

6 '동문서답(東問西答)'은 물음과는 전혀 상관없는 엉뚱한 대답을 뜻하므로 '엉뚱한 대답'으로 바꾸어 써도 의미가 통합니다.

7 '문일지십(聞一知十)'은 하나를 듣고 열 가지를 미루어 안다는 뜻으로, 아주 영리하고 재주가 있음을 나타내는 말입니다.

8 '막역지우(莫逆之友)'는 체면을 생각하거나 조심할 필요 없이 아주 친한 친구를 뜻하므로 '형제 사이'로 바꾸어 쓸 수 없습니다.

9 남의 의견이나 충고를 귀담아듣지 않고 지나쳐 흘려버림을 나타내는 말인 '마이동풍(馬耳東風)'은 동쪽에서 부는 바람이 말의 귀를 스쳐 간다는 뜻이므로 '말'과 관련 있습니다.

10 (3) 유치원 때부터 단짝이던 친구와 지금도 잘 지내고 있다는 뜻을 전하려면 '막역지우(莫逆之友)'가 알맞습니다. '문일지십(聞一知十)'은 아주 영리하고 재주가 있음을 나타내는 말입니다.
오답 피하기 (1) '동상이몽(同床異夢)'을 써서 그들은 늘 붙어 다니는 듯해도 각자의 마음속은 딴생각을 하고 있다는 뜻을 드러냈으므로 문맥에 알맞습니다.
(2) 인공 지능이 발달함에 따라 재주와 능력이 여러 가지로 많은 로봇이 많이 출현하고 있음을 '다재다능(多才多能)'을 써서 알맞게 표현했습니다.

11 이름이 알려지지 않은 채 오랜 세월을 보내고 이제야 사람들에게 인정을 받았다고 했으므로 크게 될 사람은 늦게 이루어짐을 나타내는 말인 '대기만성(大器晩成)'이 알맞습니다.

12 채점 기준 숙제 다 했냐는 엄마의 물음에 책상 정리 다 했다고 엉뚱하게 대답한 민주의 상황을 '동문서답'을 넣어 썼으면 정답으로 합니다.

한자성어 04 확인 문제 162~163쪽

1 (1) ○ **2** (1) ○ **3** 상부상조 **4** 살신성인
5 배은망덕 **6** 사필귀정 **7** 사면초가 **8** ㉢
9 (3) × **10** ② **11** 예 배은망덕한 호랑이는 자신을 구해 준 선비를 잡아먹으려 했습니다. **12** 예 상부상조를 했더니 일을 쉽게 끝낼 수 있었습니다.

1 '박장대소(拍掌大笑)'는 손뼉을 치며 크게 웃음을 뜻합니다. '치다' 또는 '두드리다'를 뜻하는 '박(拍)' 자는 박수(환영이나 축하의 뜻으로 손뼉을 계속해서 치는 것), 박자(센 소리와 여린 소리가 일정한 사이를 두고 거듭되는 것) 등에서 쓰입니다.

2 '백발백중(百發百中)'은 어떤 계획이나 예상 등이 틀림없이 잘 들어맞음을 나타내는 말입니다.
오답 피하기 (2) '오리무중(五里霧中)'의 뜻입니다.

3 서로서로 도움을 뜻하는 것은 '상부상조(相扶相助)'입니다. 꽃은 곤충에게 꿀을 주고 곤충은 꽃이 번식하도록 해서 서로서로 돕습니다.

4 옳은 일을 위하여 자기 몸을 희생함을 뜻하는 것은 '살신성인(殺身成仁)'입니다.

5 자신을 돌봐 준 사람에게 사기를 친 경우에는 남에게 입은 은혜를 저버리고 배신하는 태도가 있음을 뜻하는 '배은망덕(背恩忘德)'이 알맞습니다.

6 세상의 일이 당장에는 분명하게 가려지지 않아도 결국에는 반드시 바른길로 돌아감을 뜻하는 것은 '사필귀정(事必歸正)'입니다.

7 아무에게도 도움을 받지 못하는, 외롭고 곤란한 상황에 빠진 형편을 뜻하는 말은 '사면초가(四面楚歌)'입니다.

어휘력 더하기

'사면초가'의 유래
초나라 항우가 사면을 둘러싼 한나라 군사 쪽에서 들려오는 초나라의 노랫소리를 듣고 초나라 군사가 이미 항복한 줄 알고 놀랐다는 데서 유래합니다.

8 ㉠에서 억울함이 밝혀지는 것은 잘못되었던 일이 바른길로 돌아가는 것, 즉 사필귀정(事必歸正)이라 할 수 있습니다. ㉡에도 모든 일은 바른길로 돌아간다는 뜻인 '사필귀정'을 넣으면 내용에 알맞습니다. ㉢에는 거짓말도 여럿이 말하면 사실이 된다고 했으므로 근거 없는 말이라도 여러 사람이 말하면 그대로 믿게 됨을 나타내는 말인 '삼인성호(三人成虎)'가 들어가야 합니다.

9 (3) 아무에게도 도움을 받지 못하는 외롭고 곤란한 상황에 빠진 형편을 나타내는 말인 '사면초가(四面楚歌)'는 서로 도와 어려움을 헤쳐 나가는 모습과 관련이 없습니다.

10 '백발백중(百發百中)'은 백 번 쏘아 백 번 맞힌다는 뜻으로, 총이나 활 등을 쏠 때마다 겨눈 곳에 다 맞음을 나타내는 말입니다.

11 채점 기준 자신을 구해 준 선비를 잡아먹으려는 호랑이의 모습을 '배은망덕'을 넣어 썼으면 정답으로 합니다.

12 채점 기준 서로서로 도와 일을 마친 친구들의 모습을 '상부상조'를 넣어 썼으면 정답으로 합니다.

한자성어 05 확인 문제

166~167쪽

1 ㉰ **2** ㉯ **3** ㉮ **4** 수어지교 **5** 설상가상 **6** 수수방관 **7** 신출귀몰 **8** 새옹지마 **9** ③ **10** (1) ○ **11** ③ **12** 예 늦잠을 자서 지각을 하게 되었는데 설상가상으로 차까지 막혔습니다.

1 '작은 것을 탐내다가 큰 것을 잃음.'은 '소탐대실(小貪大失)'의 뜻입니다.

2 '손을 묶은 것처럼 어찌할 방법이 없어 꼼짝 못 함.'은 '속수무책(束手無策)'의 뜻입니다.

3 '어떤 일이 일어나기 전에 미리 앞을 내다보고 아는 지혜.'는 '선견지명(先見之明)'의 뜻입니다.

4 서로 없어서는 안 될 사이라는 말은 아주 친밀하여 떨어질 수 없는 사이라는 뜻의 '수어지교(水魚之交)'와 뜻이 통합니다.

어휘력 더하기

아주 친한 친구 사이를 뜻하는 한자성어
- 관포지교(管 대롱 관, 鮑 절인 물고기 포, 之 갈 지, 交 사귈 교): 관중과 포숙의 사귐이란 뜻으로, 우정이 아주 돈독한 친구 관계를 이르는 말.
- 간담상조(肝 간 간, 膽 쓸개 담, 相 서로 상, 照 비칠 조): 서로 속마음을 털어놓고 친하게 사귐.

5 목감기에 걸렸는데 열까지 나기 시작했다고 했으므로 어려운 일이나 불행한 일이 연달아 일어난다는 뜻의 '설상가상(雪上加霜)'이 알맞습니다.

6 형이 마루가 젖은 상황에 직접 나서서 거들지 않고 그대로 버려두었다는 뜻이 어울리므로 '수수방관(袖手傍觀)'이 알맞습니다.

7 홍길동이 동에 번쩍 서에 번쩍 하는 모습은 그 움직임을 쉽게 알 수 없을 만큼 자유롭게 나타나고 사라진다는 뜻의 '신출귀몰(神出鬼沒)'로 표현할 수 있습니다.

8 일이 앞으로 어떻게 될지 모른다는 말은 인생의 좋은 일과 나쁜 일, 행복한 일과 불행한 일은 변화가 많아서 미리 짐작할 수 없다는 뜻이 어울리므로 '새옹지마(塞翁之馬)'가 알맞습니다.

9 '수어지교(水魚之交)'는 물이 없으면 살 수 없는 물고기와 물의 관계라는 뜻으로, 아주 친밀하여 떨어질 수 없는 사이를 나타내는 말입니다.

10 (1) 반장이 혼자서 청소하는 모습을 거들지 않고 그대로 버려둘 수 없어서 팔을 걷어붙인 상황을 '수수방관(袖手傍觀)'을 써서 '수수방관할 수 없다'로 표현할 수 있습니다.

오답 피하기 (2) 거센 파도에 휩쓸려 가는 나룻배를 바라볼 수밖에 없었던 상황은 어찌할 방법이 없어 꼼짝 못 한다는 뜻의 '속수무책(束手無策)'이 알맞습니다.

(3) 눈보라 때문에 길을 찾기 힘든데 주위마저 어두워지기 시작한 상황에서는 어려운 일이나 불행한 일이 연달아 일어남을 뜻하는 '설상가상(雪上加霜)'을 쓸 수 있습니다.

11 욕심을 내서 빵을 다 먹었다가 더 맛있는 피자를 못 먹게 된 주원이의 상황은 '소탐대실(小貪大失)'과 관련이 있습니다.

12 채점 기준 늦잠을 자서 지각을 하게 된 중에 차까지 막히는 상황을 '설상가상'을 넣어 표현했으면 정답으로 합니다.

7주 마무리

168~169쪽

01 물, 심 **02** 과, 불 **03** 계, 학 **04** 선, 악
05 동, 서 **06** 상막 **07** 은, 덕 **08** 사면
09 신, 인 **10** 선, 지 **11** 설, 가 **12** 수, 책

한자성어 06 확인 문제

172~173쪽

1 어부지리 **2** 아전인수 **3** 오리무중 **4** ○
5 × **6** ○ **7** ○ **8** × **9** ④ **10** (4) ○
11 ② **12** 예 경찰이 수사에 나섰지만 도둑의 행방은 오리무중이었습니다.

1 '둘이 다투고 있는 사이에 엉뚱한 사람이 그 이익을 가로채는 것. 또는 그 이익.'은 '어부지리(漁父之利)'의 뜻입니다.

2 자기 논에만 물을 끌어들인다는 뜻으로, 자기에게만 이롭게 되도록 생각하거나 행동함을 나타내는 말은 '아전인수(我田引水)'입니다.

3 오 리나 되는 짙은 안개 속에 있다는 뜻으로, 어디에 있는지 알 수 없거나 어찌해야 할지를 모름을 나타내는 말은 '오리무중(五里霧中)'입니다.

4 '오십보백보(五十步百步)'는 조금 낫고 못한 정도의 차이는 있으나 결과적으로는 차이가 없음을 뜻하므로 '거기서 거기'로 바꾸어 써도 뜻이 통합니다.

5 '안하무인(眼下無人)'은 눈 아래에 사람이 없다는 뜻으로, 자기가 가장 잘난 듯이 다른 사람을 깔보는 것을 나타내는 말입니다. 따라서 '겸손한 사람'으로 바꾸어 쓸 수 없습니다.

6 '역지사지(易地思之)'는 다른 사람과 자신의 입장을 바꾸어서 생각하여 보는 것을 뜻합니다.

7 '오매불망(寤寐不忘)'은 자나 깨나 잊지 못함을 뜻하므로 '자나 깨나 잊지 못하고'로 바꾸어도 뜻이 통합니다.

8 '십중팔구(十中八九)'는 열 가운데 여덟이나 아홉 정도로 거의 대부분이거나 거의 틀림없음을 뜻합니다. '극히 일부'는 매우 적은 한 부분을 가리키므로 바꾸어 쓸 수 없습니다.

9 ④ 사고가 일어난 지 일주일이 지나도 사고 원인이 무엇인지 알 수 없다는 뜻이 어울리므로 '오리무중(五里霧中)'을 넣어 표현해야 합니다. '오리무중'은 '미궁(迷 미혹할 미, 宮 집 궁)'이라는 한자어와 바꾸어 쓸 수 있습니다.

10 별 차이가 없을 것이라고 말하는 상황이므로 조금 낫고 못한 정도의 차이는 있으나 결과적으로는 차이가 없음을 뜻하는 말인 '오십보백보(五十步百步)'가 알맞습니다.

11 조개와 황새가 싸우고 있는 사이에 어부가 애쓰지 않고 이익을 얻은 이야기는 '어부지리(漁父之利)'와 관련이 있습니다.

12 채점 기준 도둑이 어디로 도망쳤는지 알 수 없는 상황을 보고 '오리무중'을 넣어서 '도둑의 행방이 오리무중이다.' 등과 같은 내용으로 썼으면 정답으로 합니다.

한자성어 07 확인 문제

176~177쪽

1 (1) ○ 2 (2) ○ 3 이심전심 4 온고지신 5 유비무환 6 외유내강 7 와신상담 8 ㉢ 9 (3) × 10 ⑤ 11 예 두 아이는 이심전심으로 모든 것이 잘 통하는 사이입니다. 12 예 줄넘기를 하면 재미도 있고 건강에도 좋아서 일석이조입니다.

1 '우유부단(優柔不斷)'은 얼른 결정하거나 행동하지 못하고 우물쭈물하는 데가 있음을 뜻하는 말입니다.

2 '인과응보(因果應報)'는 좋은 일에는 좋은 결과가, 나쁜 일에는 나쁜 결과가 따름을 뜻하는 말입니다.

3 모든 것이 잘 통하는 사이는 마음과 마음으로 서로 뜻이 통함을 뜻하는 '이심전심(以心傳心)'으로 표현할 수 있습니다.

4 옛것을 익혀서 그것을 통해 새로운 것을 알게 됨을 뜻하는 것은 '온고지신(溫故知新)'입니다. '고전 문학'은 예로부터 전하여 내려오는 가치 있고 훌륭한 문학을 말합니다.

5 미리 준비가 되어 있으면 걱정할 것이 없음을 뜻하는 것은 '유비무환(有備無患)'입니다.

6 작은 일에 쉽게 흔들리지 않는 모습은 겉으로는 부드럽고 순하게 보이지만 속은 곧고 굳세다는 뜻의 '외유내강(外柔內剛)'으로 표현할 수 있습니다.

7 원수를 갚거나 마음먹은 일을 이루기 위하여 온갖 어려움과 괴로움을 참고 견딤을 나타내는 말은 '와신상담(臥薪嘗膽)'입니다.

어휘력 더하기

'와신상담'의 유래

중국 춘추 시대 오나라의 왕 '부차'가 아버지의 원수를 갚기 위하여 장작더미 위에서 잠을 자며 월나라의 왕 '구천'에게 복수할 것을 맹세하였고, 그 뒤 그에게 패배한 월나라의 왕 '구천'이 쓸개를 핥으면서 복수를 다짐한 데서 유래합니다.

8 ㉠에서 회장이 결단성이 없다고 했으므로 빈칸에는 '우유부단(優柔不斷)'이 들어가야 합니다. ㉡에서도 평소 우물쭈물하는 듯이 보이지만 사실은 딱 잘라서 결정하는 성격이라는 내용이므로 빈칸에 들어갈 말은 '우유부단'입니다. ㉢에서는 난초가 부드러우면서도 강하다고 했으므로 빈칸에는 '외유내강(外柔內剛)'을 넣어야 합니다.

9 (3)과 같이 마음과 마음이 서로 통한 상황에서는 '이심전심(以心傳心)'을 사용해 말하는 것이 알맞습니다.

오답 피하기 (1) 형이 시험에 떨어진 뒤 밤을 새워 공부했다고 했으므로 온갖 괴로움을 참고 견딘다는 뜻의 '와신상담(臥薪嘗膽)'은 알맞은 표현입니다.

(2) 어려운 상황이 오기 전에 저축을 하자는 내용은 미리 준비가 되어 있으면 걱정이 없다는 뜻의 '유비무환(有備無患)'과 어울립니다.

10 옛것을 익혀서 그것을 통해 새로운 것을 알게 된다는 뜻의 '온고지신(溫故知新)'과 뜻이 통합니다.

11 채점 기준 마음이 서로 잘 통해서 말하지 않아도 마음을 잘 알 수 있는 관계를 '이심전심'을 넣어 썼으면 정답으로 합니다.

12 채점 기준 줄넘기 하나로 재미와 건강이라는 두 가지 이득을 얻을 수 있다는 내용을 '일석이조'를 넣어 썼으면 정답으로 합니다.

한자성어 08 확인 문제

180~181쪽

1 ㉯ 2 ㉮ 3 ㉰ 4 임기응변 5 일취월장 6 전화위복 7 일장춘몽 8 자포자기 9 (3) ○ 10 ② 11 ⑤ 12 예 자포자기한 친구를 위로해 주었습니다.

1 옥이나 돌 등을 끊고 닦아서 빛을 낸다는 뜻으로, 부지런히 학문과 덕을 닦음을 나타내는 말은 '절차탁마(切磋琢磨)'입니다.

2 도둑이 오히려 매를 든다는 뜻으로, 잘못한 사람이 아무 잘못도 없는 사람을 나무람을 나타내는 말은 '적반하장(賊反荷杖)'입니다.

3 아침저녁으로 뜯어고친다는 뜻으로, 계획이나 결정 등을 일관성이 없이 자주 고침을 나타내는 말은 '조변석개(朝變夕改)'입니다.

어휘력 더하기

'조변석개'와 뜻이 비슷한 한자성어

- 조령모개(朝 아침 조, 令 하여금 령, 暮 저물 모, 改 고칠 개): 아침에 명령을 내렸다가 저녁에 다시 고친다는 뜻으로, 계획이나 결정 등을 자꾸 바꾸어서 갈피를 잡기가 어려움을 이르는 말.
- 조개모변(朝 아침 조, 改 바꿀 개, 暮 저물 모, 變 변할 변): 아침저녁으로 뜯어고친다는 뜻으로, 계획이나 결정 등을 일관성 없이 자주 바꿈을 나타내는 말.

4 위기에서 벗어나려면 상황에 따라 재빠르게 대응해야 하므로 빈칸에는 그때그때 처한 상황에 맞추어 곧바로 그 자리에서 결정하거나 처리했다는 뜻의 '임기응변(臨機應變)'이 알맞습니다.

5 마음을 먹고 공부에 전념하여 갈수록 발전했다는 내용이 어울리므로 날이 가고 달이 갈수록 발전한다는 뜻의 '일취월장(日就月將)'이 알맞습니다.

6 지금의 어려움을 오히려 좋은 일을 만드는 계기로 삼자는 내용이므로 근심, 걱정 등이 바뀌어 오히려 복이 된다는 뜻의 '전화위복(轉禍爲福)'이 들어가야 합니다.

7 큰 성공을 이루려던 계획이 결국 성공하지 못하고 끝났다는 내용이므로 헛되고 허무하다는 뜻의 '일장춘몽(一場春夢)'이 알맞습니다.

8 '될 대로 되라지'는 절망에 빠져 스스로 포기하고 돌아보지 않는다는 뜻의 '자포자기(自暴自棄)'와 어울립니다.

9 '일취월장(日就月將)'은 '날이 가고 달이 갈수록 자라거나 발전함.'을 뜻하므로 매일 힘들게 훈련하여 실력이 금세 빼어나게 좋아진 육상 선수와 가장 관련이 있습니다.

10 ② '일장춘몽(一場春夢)'은 인간 세상의 헛됨과 허무함을 나타내는 말이므로 모든 것이 끝났다는 말과는 관련이 없습니다. 내용과 어울리는 한자성어는 '자포자기(自暴自棄)'입니다.

11 재앙과 근심, 걱정이 바뀌어 오히려 복이 되었다는 뜻의 '전화위복(轉禍爲福)'이 들어가야 알맞습니다.

12 채점 기준 자신은 안 될 거라며 포기하겠다고 말하는 상황이나 포기하려는 친구를 위로해 주는 상황을 '자포자기'를 넣어 표현했으면 정답으로 합니다.

한자성어 09 확인 문제

184~185쪽

1 청출어람 **2** 조삼모사 **3** 타산지석 **4** × **5** ○ **6** ○ **7** × **8** × **9** (2) ○ **10** (4) × **11** ④ **12** 예 충치가 생긴 친구를 타산지석으로 삼아 양치질을 잘해야겠다고 다짐했습니다.

1 제자나 후배가 스승이나 선배보다 나은 것을 나타내는 말은 '청출어람(靑出於藍)'입니다.

2 나쁜 꾀로 남을 속여 제멋대로 가지고 노는 것을 뜻하는 말은 '조삼모사(朝三暮四)'입니다.

어휘력 더하기

'조삼모사(朝三暮四)'의 유래

중국 송나라의 '저공'이 자신이 키우는 원숭이들에게 먹이를 아침에는 세 개, 저녁에는 네 개를 주겠다고 하자 원숭이들이 화를 내므로, 아침에는 네 개, 저녁에는 세 개를 주겠다고 바꾸어 말하니 기뻐하였다는 고사에서 유래하였습니다.

3 남의 좋지 않은 말이나 행동도 자기의 지식과 인격을 닦는 데에 도움이 될 수 있음을 나타내는 말은 '타산지석(他山之石)'입니다. '타산지석으로 삼다.', '타산지석이 되다.' 등과 같이 쓰입니다.

4 '죽마고우(竹馬故友)'는 어릴 때부터 같이 놀며 자란 친구를 말합니다.

5 '천신만고(千辛萬苦)'는 천 가지 매운 것과 만 가지 쓴 것이라는 뜻으로, 온갖 어려움을 다 겪으며 심하게 고생함을 나타내는 말입니다. 따라서 '온갖 고생'과 뜻이 통합니다.

6 '주객전도(主客顚倒)'는 주인과 손님의 위치가 서로 뒤바뀐다는 뜻입니다. 따라서 '주인과 손님이 바뀐 상황'으로 바꾸어 쓸 수 있습니다.

7 '진퇴양난(進退兩難)'은 이러지도 저러지도 못하는 어려운 처지를 말하므로 '유일한 출구'로는 바꾸어 쓸 수 없습니다.

어휘력 더하기

'진퇴양난'과 뜻이 비슷한 한자성어

- 진퇴유곡(進 나아갈 진, 退 물러날 퇴, 維 밧줄 유, 谷 골 곡): 나아갈 수도 물러설 수도 없는 궁지에 몰림.
- 진퇴무로(進 나아갈 진, 退 물러날 퇴, 無 없을 무, 路 길 로): 이러지도 못하고 저러지도 못하는 매우 곤란한 상태.

8 '칠전팔기(七顚八起)'는 여러 번 실패하여도 굽히지 않고 꾸준히 노력함을 나타내는 말이므로 '단번에 성공'과는 뜻이 통하지 않습니다.

9 ㉠은 스승이나 선배, ㉡은 제자나 후배 등을 뜻하므로 (2)의 '선배 – 후배'가 알맞습니다.

10 '천신만고(千辛萬苦)'는 '온갖 어려움을 다 겪으며 심하게 고생함을 나타내는 말.'입니다. 위로를 받아야 할 친구가 다른 친구를 위로해 주는 상황에서는 '주객전도'를 쓸 수 있습니다.

11 여러 번 실패해도 포기하지 않고 계속 노력했다는 내용은 일곱 번 넘어지고 여덟 번 일어난다는 뜻인 '칠전팔기(七顚八起)'와 뜻이 통합니다.

12 **채점 기준** 충치가 생긴 친구를 보며 자신은 바른 행동을 해야겠다고 다짐하는 상황을 '타산지석'을 넣어 표현했으면 정답으로 합니다.

한자성어 10 확인 문제

188~189쪽

1 (2) ○ **2** (2) ○ **3** 학수고대 **4** 파죽지세 **5** 표리부동 **6** 형설지공 **7** 풍전등화 **8** ㉡ **9** (3) × **10** ③ **11** 예 그 선수는 파죽지세로 단숨에 결승까지 올라갔습니다. **12** 예 아이들은 눈이 내리기를 학수고대했습니다.

1 '함흥차사(咸興差使)'는 심부름을 가서 오지 않거나 늦게 온 사람을 뜻하는 말입니다.

2 '화룡점정(畫龍點睛)'은 무슨 일을 하는 데에 가장 중요한 부분을 완성하는 것을 뜻합니다.

> 어휘력 더하기
>
> **'화룡점정'의 유래**
>
> 중국 양나라 때의 화가 장승유가 용을 그린 뒤 마지막으로 눈동자를 그려 넣었더니 그 용이 갑자기 구름을 타고 하늘로 올라갔다는 고사에서 나온 말입니다.

3 전학 간 친구에게서 편지가 오기를 기다릴 때에는 '학의 목처럼 목을 길게 빼고 간절히 기다림.'을 뜻하는 '학수고대(鶴首苦待)'가 알맞습니다.

4 적을 거침없이 물리치고 쳐들어가는 기세를 나타내는 말은 '파죽지세(破竹之勢)'입니다. 우리 군대가 적군을 몰아내는 기세를 '파죽지세'로 표현할 수 있습니다.

5 겉으로 드러나는 말과 행동이 속으로 가지는 생각과 다름을 뜻하는 것은 '표리부동(表裏不同)'입니다.

6 고생을 하면서 부지런하고 꾸준하게 공부하는 자세를 나타내는 말은 '형설지공(螢雪之功)'입니다.

7 왜적의 침략을 받은 조선의 위기 상황은 사물이 매우 위태로운 상황에 놓여 있음을 나타내는 말인 '풍전등화(風前燈火)'로 표현할 수 있습니다.

8 ㉠에서 할아버지가 오신다는 일요일을 기다렸다고 했으므로 빈칸에는 '학수고대(鶴首苦待)'가 들어가야 합니다. ㉡에서는 심부름 간 동생이 아무리 기다려도 오지 않는다는 내용이므로 빈칸에 '함흥차사(咸興差使)'를 넣을 수 있습니다. ㉢에서는 간절히 기다렸던 여행 날에 비가 내려서 여행이 취소되었다는 내용이 자연스러우므로 빈칸에는 '학수고대'가 알맞습니다.

9 '형설지공(螢雪之功)'은 고생을 하면서 부지런하고 꾸준하게 공부하는 자세를 나타내는 말이므로 위태로운 상황을 표현하기에 알맞지 않습니다. 위태로운 상황에 놓였다는 것은 '풍전등화(風前燈火)'를 써서 표현할 수 있습니다.

10 범수가 자신이 필요할 때는 기태에게 도움을 요청하고 필요 없을 때는 인정 없이 아는 척도 하지 않은 상황은 '토사구팽(兔死狗烹)'과 관련 있습니다.

11 **채점 기준** 단숨에 결승까지 올라간 선수의 모습을 '파죽지세'를 넣어 표현했으면 정답으로 합니다.

12 **채점 기준** 눈이 내리기를 기다리는 상황을 '학수고대'를 넣어 '눈이 내리기를 학수고대했다.' 등과 같이 썼으면 정답으로 합니다.

8주 마무리

190~191쪽

01 안, 인 **02** 어부 **03** 오십, 백 **04** 우, 부 **05** 비, 환 **06** 반하 **07** 화, 복 **08** 객, 도 **09** 칠, 팔 **10** 리, 동 **11** 풍, 화 **12** 함흥

me
mo

초고필

국어 어휘

정답 및 풀이